节水灌溉管理决策专家系统

Management and Decision-Making Expert System
for Water Saving Irrigation

国家节水灌溉杨凌工程技术研究中心
西北农林科技大学农业水土工程研究所
主 编 汪志农 冯 浩
副主编 范兴科 汪有科 熊运章

黄河水利出版社

图书在版编目(CIP)数据

节水灌溉管理决策专家系统/汪志农,冯浩主编. —郑州:
黄河水利出版社,2001.6(2002.5 重印)
ISBN 7 - 80621 - 472 - 0

Ⅰ. 节⋯ Ⅱ.①汪⋯②冯⋯ Ⅲ. 灌溉－节约用水－决
策支持系统:专家系统 Ⅳ.S 274 - 39

中国版本图书馆 CIP 数据核字(2001)第 034078 号

责任编辑:杜亚娟　　　　　　　封面设计:谢　萍
责任校对:张　倩　　　　　　　责任印制:常红昕

出版发行:黄河水利出版社
　　　　地址:河南省郑州市金水路 11 号　邮编:450003
　　　　发行部电话:(0371)6022620　传真:6022620
　　　　E-mail:yrcp@public2.zz.ha.cn
印　　刷:黄河水利委员会印刷厂
开　本:850mm×1 168mm　1/32　　印　张:4.75
版　次:2001 年 6 月　第 1 版　　　字　数:119 千字
印　次:2002 年 5 月　郑州第 2 次印刷　印　数:1 501－3 000
定　价:12.00 元

前　言

目前,我国正处于传统农业向现代农业转变的初期,农业科技的总体水平还较低,农村社会化服务体系也较薄弱。为此,采用高新技术改造传统农业,对提高劳动者素质、推动农业生产发展和实现农业现代化,将产生重大影响。我们依据近几年来所从事的多项节水灌溉管理的研究成果和资料,在节水灌溉管理决策实践中,应用人工智能中的专家系统技术,开发并集成了4个不同层次的农业专家系统,取得了较理想的成效。

(1)灌溉预报与节水灌溉决策专家系统。本系统的出发点是立足田间,面向农户。通过人机对话,输入当地气象、土壤、作物等参数,即可快速、准确地作出节水灌溉预报与灌溉决策方案。若当地气象资料比较齐全(如气温、日照、风速及相对湿度等),计算机会自动选用精度最高的彭曼公式(Penman Formula)来计算ET_0值。若气象资料不全,计算机将自动搜索,寻找已知气象参数所对应的回归预报模型。而且,将进一步推理作物系数K_c值,计算农田水量平衡方程中的各个参量,如有效降雨量(P_e)、地下水补给量(G_e)及土壤初始有效储水量(ASW)。并预报出下次的灌水时间、灌水定额(包括充分灌及限额灌两种策略),以及不同灌水策略所对应的作物增产量(增产值)与灌水成本,以利农户进一步作出灌水决策。

(2)灌区计划用水与水量调配决策管理系统。本系统主要是针对某一区域或某一灌区的计划用水管理及渠系水量调配决策的。其功能涵盖了灌区计划用水管理的三个主要方面:一是用水前编制各级用水计划,包括年度轮廓用水计划、全渠系用水计划、干支渠段(管理站)用水计划以及用水单位(配水斗)用水计划;二是实际用水时的渠系水量调配,包括按需配水、按比例配水及渠系优化配水等不同用水工况下的配水方案;三是某一时段用水结束,快速、准确地进行各时段的计划用水总结,包括每天、每轮、每季及每年的计划用水总结。

(3)灌区管理体制改革专家系统。灌区管理体制改革是我国各灌区为适应社会主义市场经济发展、提高自身发展活力、促进水利经济良性循环的一项创新性的事业。为此,本系统较详细地阐述了灌区管理体制改革的意义,斗渠管理体制改革的形式、利弊及运作程序,干支渠系及主系统的改革内容与实施方案,以及民营水利工程的水费核定原则与标准。其目的是想通过本系统的研制、开发与推广应用,推进该项事业不断发展。

(4)陕西省旱情决策专家系统。该系统是1995年为陕西省抗旱办公室进行全省作物旱情宏观决策而研制的专用软件。该系统包含的内容较广,主要有全省自然地理特性描述、按九大自然区域分区评述各主要作物的抗旱对策、抗旱服务队建议、旱地保墒与主要防旱抗旱措施、陕西省灌溉节水对策、关中地区水资源统一调配设想及分区评述农业生产结构优化等7个大的框架。该系统已在宏观指导全省抗旱决策中发挥着应有的作用。

通过以上4个农业专家系统的研究与开发,结合21世纪呼唤新的农业科技革命及西部大开发的极好机遇,我们认为,我国农业专家人数相对较少,农业科技推广专家更少,农业科技成果转化环节又相当薄弱,只有把多学科专家的经验、知识加以综合与集成,开发出有区域特色的农业专家系统,用高新技术来改造传统农业,才能解决农民文化科技素质低和农村社会化服务体系薄弱的严重问题。农业专家系统可替代多学科的专家群体,深入农村、地头、农户,向农民提供脱贫致富的科技知识,切实提高农民自身的文化科技素质,激发他们科学种田的热情。我国农村地域广阔,农户分散,信息闭塞,交通不便。今后必须依靠各级农业信息网络

（包括国家级、省级或地区级的农业信息网络），把分散的农户联结起来，使他们也能及时获取农业生产信息。随着农业信息网络的发展，农业专家系统将直接为农户提供所需的各类专家群体的咨询意见。亦即随着我国经济和信息技术的发展，农业专家系统的应用前景将会更加广阔。

国际上发达国家早在 20 世纪 30 年代至 70 年代，就经历了以科技突破、提高农民素质、完善社会化服务体系为中心的农业革命，已实现了农业现代化。随着"知识经济"时代的到来和发展，高科技产品的生产和服务部门已成为知识经济的支柱。为此，我们必须迎头赶上，从战略高度来发展高科技，占领前沿技术。目前，我国农业科研同世界先进水平相比有 10～15 年的差距，而我国农村仍处于传统的小农经济状态。如果没有革命性的跨越和科技的创新体系，这种差距还会进一步扩大。因此，以研制开发、推广应用农业专家系统为突破口，尽快提高农业生产的科技含量是适合我国农村国情，逐步实现农业现代化的最基本途径之一。

本书是在西北农林科技大学熊运章教授的悉心指导下完成的。熊教授严谨的治学态度、高尚的敬业精神、勇于开拓创新和忘我的工作作风，使我们终生受益。在本书的开题论证中，李靖教授、朱凤书教授、杨青教授、沙际德教授、林性粹教授、康绍忠教授提出了许多宝贵的修改意见、建议和思路。在节水灌溉管理决策专家系统的研究与开发过程中，得到了国家重大科技产业工程项目"渠灌类型区农业高效用水模式与产业化示范(陕西)"课题组的全力支持。国家节水灌溉杨凌工程技术研究中心又对本书的出版给以资助。在此，谨表崇高的敬意和衷心的感谢！

编　者
2001 年 1 月于陕西杨凌

Introduction

At present, our country is being the early stage transferring the traditional agriculture into the modern one. The gross level of agricultural science and technology is still lower and the social service system in countryside is rather weak. So it will be created a very important effect that using the new and high technologies to improve the traditional agriculture and lift the quality of laborers, to promote the development of agricultural production and realize the agricultural modernization. Depend on the scientific research results and data that have done several research tasks on water saving irrigation management, applying the expert system technology of the artificial intelligence to water saving irrigation management decision making, We have developed and integrated four different agricultural expert systems to obtain rather ideal research result.

1. Expert system of irrigation forecast and decision-making of water saving irrigation

This system is based on farm field, faced with farmers' families. Through the dialogue between user and computer, inputting the local factors of climate、soil、crops and so on, it can quickly and correctly make out water saving irrigation forecast and scheme of irrigation decision-making. If the local climatic factors are complete such as temperature、sunshine hour、wind speed and relative humidity, computer will automatically choose the Penman Formula to calculate ET_0. If the climatic factor is not complete, computer will select the relative regressive formula that suitable to know factor. Also it will further infer the crop coefficient of K_c value and calculate each factor of farmland water balance equation. For example the effective rainfall (P_e) 、ground water compensation (G_e) and the soil available storage water (ASW). In the meanwhile it can forecast the next irrigation time, irrigation quota (including two irrigation tactics of full irrigation and limited irrigation), crop added production with different tactic and the irrigation water fee. This information is more useful to farmers to do the collect irrigation decision-making.

2. Irrigation management system of planning water use and water distribution

This system is major pointed to one irrigation district for planning water use management and water distribution of decision making in canal system. It's function includes three aspects: First is drawing out water use plans for each step before irrigation season, including yearly water use plan, seasonal water use plan for total canal system, water use plan for section of main and branch canal (management station), and water use plan for lateral canal. Second is the water distribution in canal system during real water use season, including the different distribution schemes on demand, on proportion and optimal water distribution related different water use situation. Third is when water use finished for a certain period, quickly and correctly to do the Summation of planning water use, including every day, every rotation period, every irrigation season and every irrigation year.

3. Expert system of management system reform in irrigation district

Management system reform is a new enterprise that each irrigation district in our country is suiting for developing socialist market economy, increasing self-development activity, promoting a good cycle of water conservancy economy. So the significance, models, advantages and disadvantages, operating procedures of lateral canals transfer; reforming content and executive plan of main and branch canals and main system; the principle and regulation of checking water fee for private management project were rather detail expounded in this system. The major purpose is continually promoting this enterprise into deep forward by research, development, expansion and application of this system.

4. **Expert system of crops drought decision-making in Shaanxi Province**

This is the special software that was developed for resisting drought office of Shaanxi Province to do decision-making of crops drought. The systems include seven big frames and many contents. There are provincial natural geographical characters, evaluating resistant crops drought measures with different region, constituting service teams of resisting crops drought, keeping soil moisture in dry land and major resisting crops drought measures, countermeasures of water saving irrigation in Shaanxi Province, unite distribution of water resource in Guanzhong region and evaluation optimal agricultural production structure with different region. This system is playing own function to macro - guide total provincial crops drought decision-making.

Through research and development of four agricultural expert systems, combining to face 21 Centenary and calling new revolution of agricultural technology, to meet the very good chance developing the west China region in large scale, writers have realized: The numbers of agricultural experts are relative less in our country and the agricultural scientific and technical popularizing experts are rather lesser. The link of changing the scientific and technical research result into the production rate is still rather weak. However only using the advanced and new technology to develop the agricultural expert system that integrated the experiences and knowledge of multi-academic experts with regional feature, can improve the traditional agriculture and overcome the limitations of farmers with lower level of culture and science and weakness of agricultural social service system. The agricultural expert system can substitute the expert group of multi-academic subjects, go to countryside into field and farmers' families, supply the scientific and technical knowledge that can improve farmers' cultural and scientific quality and promote their warm for scientific planting. It is vast in territory, dispersion of farmers' families, ill-informed, traffic inconvenient in our countryside. In future, must depend upon the agricultural information networks of each step (including national, provincial and local agricultural information network) to be connected with the dispersed farmers' families, obtained the agricultural production information in time. With the development of agricultural information system, the agricultural expert system can directly supply the consultative advisement by the expert groups. That means following up the development of our economy and information technology, application prospects of agricultural expert system will become even more broad.

The developed countries in the world have passed through the agricultural revolution centralized by increasing science and technology, heightening the quality of farmers and improving the social service system as early as 1930s to 1970s, have realized the modernization of agriculture. Following the coming and development of "knowledge economy", manufacture of high technical productions and service unit have been become the support of knowledge economy. So we must catch up with, to develop the high scientific technology. At present, the distance between our agricultural scientific research to the advanced level in the world is about 10 to 15 years. Now our agriculture still belong to traditional farmer's family economy. If no revolutionized overcome and scientific new system, this distance will be increased. So development and popularization of agricultural expert system is suitable the countryside situation in our country. It is one of the basic way to realize agriculture modernization step by step.

This book is finished under the Prof. Xong Yunzhang carefully guiding, we will always remember his spirit of serious learning, high lovely working, and the working type for opening new ways and always forget himself. In the opening and discussing for this book, many Professors, such as Prof. Lijing, Prof. Zhu fong shu, Prof. Kang Shaozhong and so on, put forward many valuable improving ideals, suggestions and thinking. In the research and developing of management and decision-making expert system for water saving irrigation, have obtained the financial support by the project of the national important science and technology enterprise, the item "The agricultural high water using efficiency model in canal irrigated region (Shaan xi)", here, please receive our many thanks by heart.

By Writers

2001, January. in Yangling

目　　录

Contents

第一章 绪 论

1.1 研究背景及意义

我国北方各省区由于特定的太阳辐射、大气环流和海陆相对位置,水资源不足、多发性干旱一直是阻碍这一地区农业生产持续发展的主要因素。特别是西北黄土高原地区,处于我国东部温湿季风区向西北内陆干旱区的过渡地带,由于自然与人为的因素,生态环境遭受了巨大的破坏,植被稀少,水土流失严重,农业系统总体功能低,有害输出(泥沙)多,有益产出(农产品)少,是我国生态脆弱的典型地区。但西北地区土地资源广阔,土层深厚,土质优良,特别是光照资源丰富,加上昼夜温差大,有利于光合产物的积累,又是一个生产潜力很大、具有发展大农业广阔前景的地区。根据"九五"农业和农村经济的奋斗目标,到20世纪末,我国的粮食年产量要达到5 000亿kg;到2010年,全国人口按14亿计算,需要粮食5 600亿kg;到2030年,人口达到16亿峰值时,需要粮食6 500亿kg。粮食的生产任务十分艰巨。而大力发展节水型的灌溉农业,努力提高粮食单产,是解决我国粮食问题的主要途径。目前,我国的灌溉面积占总耕地面积的比例不足一半,但生产出的粮食却占全国粮食总产量的2/3。因此,大力发展灌溉面积,对我国的农业生产起着举足轻重的作用。目前,我国每年的总用水量为5 000亿m^3,其中农业用水量约占80%。随着区域经济的发展,工业用水、城市供水和农业用水间的矛盾势必加剧,农业用水面临日益严峻的挑战。而随着国民经济的发展,势必要削减农业用水的比例。预计到2010年,我国农业用水比例将从73%减少到64%左右。因此,发展节水农业,一方面是为了农业持续发展的自

· 1 ·

身需要；另一方面可以省出更多的水量支持工业和城市化的发展。这也是世界各国在用水量上重新分配的一个必然趋势。例如，以色列在 1990 年时的农业用水量已削减到占总用水量的 65%，2000 年已减少到 57%；美国在 1989 年时，农业用水比例仅占48%。因此，预计我国农业用水比例还将会继续削减[1~3]。

我国的水资源十分紧缺，供水危机已日益显现，同时，由于管理不善也存在着农业用水浪费的现象。特别是田间过量灌溉或因渠系水量调配不当，引起废泄水量的现象仍十分普遍。加之农村实行家庭承包责任制以来，对田间渠系的管护责任不落实，因而输、配水过程中的渗漏损失及跑泄水量很严重；田间灌水技术粗放，浪费的水量也很多。因而总体来讲，我国灌溉水的利用率很低，平均约为 0.4。水量损失不仅引起灌区地下水位的升高，土壤盐碱渍害，导致农业减产，而且恶化灌区生态环境。国际上的一些发达国家，灌溉水的利用率一般可高达 0.8～0.9。相比之下，我国的差距很大，农业节水的潜力也很大。如果采用节水灌溉管理决策技术，将全国已成灌区灌溉水的利用率平均提高 10%，按全国农业用水总量 4 000 亿 m³ 估算，每年可节约水量 400 亿 m³。这对缓解我国水资源供需矛盾将起到极其重要的作用。为此，必须实施节水型的灌溉农业，这是事关我国农业持续发展乃至国民经济发展的一项带战略性的根本大事[4]。

节水型灌溉农业从大的方面讲，应分 3 个层次：第一，要站在全流域(或整个水系)整体的角度，采用系统分析的方法对全部可利用水资源(包括地面水、地下水)进行全流域上、中、下游的最优配置，兼顾全社会各方面的用水需求和水环境保护；第二，在某一区域内，对有限的水资源进行工业用水、城镇供水和农业用水的系统规划；第三，要对有限的农业用水量，依据土壤墒情、作物旱情和渠道工程实际，进行渠系优化调配，切实做好渠系引水、输水、配水和田间灌水工作。全面实施节水灌溉的综合体系，包括渠系工程改建、渠道衬砌防渗、农田基本建设(方田建设)等。根据灌区特点实行计划用水与非充分灌溉(限额灌溉),即按作物水分生产函数与作物需水规律来调配水量,以求单位水量最大的经济效益。同时,切实抓好支、斗渠的管理体制改革,使田间工程的管护与投入得到落实。这样,发挥灌溉工程的效益才有坚实的基础[5~7]。

实施节水农业,管理起着重要作用。实践证明,灌溉节水50%的潜力是在管理上。为此,从水源到作物产量形成的整个用水过程中,都要做好管理工作,如采用先进的节水管理技术措施,包括灌溉预报、土壤墒情监测、渠系水量优化调配及现代化管理,以及制定节水型的经济灌溉制度等[8]。

节水灌溉管理决策专家系统的研究、开发与推广应用,将对我国北方缺水地区,特别是西北黄土高原地区,农业水资源的科学管理与优化调配提供科学的决策依据与决策方案。这对于普及、推广节水型的灌溉农业,将起到重大的推动作用。随着信息技术和网络通讯技术的日益普及,我国今后必定要开通各地区乃至全国的农业信息网络。节水灌溉管理决策专家系统的研究成果将对农业信息网络提供有关节水灌溉咨询与管理决策等项服务,其在今后应用的前景将会更加宽广。而且随着研究、开发的不断深化,必将形成一个新的交叉学科——农业知识工程。这一学科将极具生命力。因为21世纪生物工程与信息技术将占先导地位,而农业是永不衰竭的行业。农村信息网络与农业专家系统的结合,将成为中国农业现代化独具特色的创举,并将加速缩短农业现代化与低素质农民间的差距,促进我国农业的跨越式发展,为迎接新的农业科技革命作出贡献[9~14]。

1.2 国内外农业专家系统的研究概况

1.2.1 人工智能的产生和发展

人工智能(Artificial Intelligence)是一门正在迅速发展的、新兴的、综合性很强的边缘学科。它与原子能和空间技术一起被誉为 20 世纪的三大科学技术成就。人工智能的产生，从思想基础上讲，它是人们长期以来探索能进行计算，模拟大脑思维、推理和其他思维活动的智能机器的必然结果；从理论基础上讲，是由于控制论、信息论、系统论、计算机科学、神经生理学、心理学、数学和哲学等学科相互渗透的结果；从物质技术基础上讲，则是由于电子计算机的出现和广泛应用的结果[15~17]。

60 年代末 70 年代初，人工智能的研究取得了进展。人们利用符号表示和逻辑推理的方法，通过计算机启发式编程，成功地在计算机上建成了实用型的人工智能系统——专家系统，使人工智能研究向纵深发展，并开始走向实际应用。在学科上也形成了自己的理论体系——知识工程(Knowledge Engineering)。人工智能走向实用化研究，最引人注目的是各种专家系统应用于化学、医疗、气象、数学、科研和军事等方面，大大提高了工作效率和工作质量。总之，专家系统的应用可归纳如下：

诊断：根据观察到的现象推断系统的故障。如可以为病人诊断，开出药方。

预测：按给定条件推理出可能的结果。

解释：根据所获得的数据，对现象或情况作出解释。

设计：根据要求和条件进行工程设计，如 CAD、CAM、CAE 等。

规划：从全局、总体和长远观点来研究系统发展的战略方向，确定每个阶段的战略目标，根据对未来的预测，作出战略决策，制定战略规划。

管理：通过方案的分析、比较、决策、选定、评价、实施、组织等，对工程技术进行管理。

工业自动化：对系统进行自动控制和监测。

智能办公系统：可高效率地生成、处理、传送、检索各种数据、

文件、图像、语声,将数据处理与文字处理结合
起来,以适应政府机关和企业内办公的需要。

辅助教学:诊断学生的学习情况,并帮助学生修正。

机器翻译:借助计算机,将一种语言自动翻译成为另一种语言。

系统辨识:通过情况资料的收集、整理、储存、检索、提取,产生用户所需的信息[18~28]。

1.2.2　国际上农业专家系统的发展概况

农业专家系统,也可叫作农业智能系统,是农业信息技术中的一项重要技术。它是运用人工智能专家系统技术,结合农业特点发展起来的一门高新技术。

国际上对农业专家系统的研究是在 20 世纪 70 年代末期开始的,以美国最早,当时开发的系统主要是面向农作物的病虫害诊断。例如,1978 年美国伊利诺斯大学开发的大豆病虫害诊断专家系统 PIANT/DS 及 1982 年开发的玉米螟虫害预测专家系统 PI-ANT/OD。1983 年日本千叶大学开发出 MICCS——西红柿病害诊断专家系统。COMAX/GOSSYM 是美国农业部 1986 年 10 月研制的最为成功的一个专家系统——用于向棉花种植者推荐棉田管理措施,可模拟棉花生长发育过程和水分、营养在土壤中的传递,以及给出施肥、灌溉的日程表和落叶剂的合理施用表。还有加利福尼亚大学戴维斯分校研制的 CALEX 系统,可分别用于棉花、桃树和水稻等作物的生长管理。该系统已在加利福尼亚州的 450 个农场应用,它可以通过因特网,从气象数据库和加利福尼亚州的农药数据库中检索数据[29~39]。

1996 年,在荷兰瓦根宁根举行的国际计算机技术应用于农业学术会议上,西班牙学者奥塞林(Ocerin)在大会上对农业专家系统作了一个综述报告,列举国际上农业专家系统有近百个,广泛应用于作物的生产管理、灌溉、施肥、品种选择、病虫害诊断与控制、

温室管理、牛奶生产管理、牲畜环境控制、土壤保持、食品加工与保鲜、粮食储存、环境污染控制、森林火灾控制、经济分析、财务分析、市场分析、土地规划、农业生产结构优化、农业机械选择、农业机械故障检测等方面,几乎无所不包。许多系统已经得到应用,一部分已成为商品进入市场,用户是农民、农技人员和农业顾问[40~71]。

从专家系统的发展历程来看,国际上已开发出许多专家系统外壳(shell),或称专家系统的开发工具,并多已达到商品化。如Levels,VP-Expert,Insight 等。还有一些是专用的工具,如 Calex就是专用于作物管理的开发环境的。

农业信息技术(Agricultural Information Technology,简称AIT)是高新技术应用于农业的一个重要发展方向。农业信息技术、农业生物技术是 21 世纪高新技术应用于农业的两大关键技术。国外农业信息技术的应用有以下几个方面:

(1)信息高速公路已伸向农村。发达国家除利用因特网(Internet)建立全国的农业科技信息网络外,各地方政府也均依托农业院校建立起各自的农业信息区域网。农场主通过区域网可随时查询有关农业生产、市场、气象、灾害性气候以及农田灌溉、施肥、喷洒农药等信息。政府和各管理部门可随时根据全球和区域性的各种动态信息进行规划、预测和宏观决策。许多农业公司也通过因特网提供有关他们的产品和市场方面的信息。许多农场主也有他们自己的网页(Homepage),用于介绍农场的概况及生产的产品等。从全世界来讲,信息技术美国最发达,每 100 人拥有 50 台电脑,普及率也最高。全球网民 1.5 亿,美国占 50%,约 7 500 万网民。另外,地处亚州的日本,农民拥有计算机为 18%,澳大利亚为25%～50%(各州不一,南部最高)。而且两国的地方政府都十分关注建立农业信息网络。如日本 47 个府县,已有 36 个建立起各自独立的农业信息中心,可提供自动气象站采集的每小时气象资料,日本气象卫星的图像资料,灾害性气候预报,农作物物候期的生产管理(包括灌溉、施肥、采摘和收割),以及农民最感兴趣的各地每天蔬菜、水果等的市场销售价格。在日本,那些对农业信息和通讯技术感兴趣的人联合起来成立了一个农业信息应用研究会,现已改名为日本信息农学会(JASI)。这个农学会成员由研究学者、试验研究人员、政府官员和农民组成。这个团体每年举行一次全国的代表大会,并出版了一种综合性的期刊,联入国际因特网。在澳大利亚,地方政府通过建立分散在各乡镇的电视中心,使分散的农户也能及时得到农业信息。这些电视中心主要是通过卫星接收装置与国内信息网联接,从而向农民提供农业信息服务。对澳大利亚的生产者来说,最关心的事情之一是水的供应。为此,对灌溉管理和降雨预报,各地信息中心作了大量工作,已建立起全澳范围的气象数据库及相应的决策支持系统,用来培训农民,以更好地加强管理,减少灾害气候造成风险的机会[63~67]。

(2)卫星数据传输系统。在美国,卫星数据传输系统已广泛地被农业生产者应用。据介绍,有两个主要系统 Agdaily 和 FarmData,通过卫星连续不断地向租用的数据终端播送数据,并自动储存于终端。它们按各种项目提供当前数据和信息,这些数据信息的数量和类型取决于用户购买信息项目的多少。如提供最新的市场价格、新闻和气象云图(如降雨、径流、恶劣气候、作物生长状况、田间管理技术、土壤墒情、土壤温度、气温、病虫害预报与防治措施、市场开发、长短期天气预报、有关农业的政策和产品信息等),农民可通过事先协议,用传真机或计算机及时获取各自所需的信息,以科学地指导大田的生产活动[68~71]。

(3)财务分析计算及农业生产管理。在拥有计算机的农户中,80%以上具有这种业务。由于美国、欧洲及其他发达国家的农场多是商品生产型的,农场主拥有几百甚至上千公顷土地,工厂化生产,财务分析计算十分重要。这些软件也多是市场上通用的,应用已十分普遍。在农业生产管理方面,如畜牧业,有牲畜跟踪记录、配料、饲料库存、淘汰判定、后备牲畜选择等。在大田作物生产方面,有各个田块土壤、作物基本数据库及各田块的跟踪信息,包括土壤墒情、所种作物类型、肥料及农药的施用、大田管理措施、最终收获产量等信息,有推荐肥料、选择品种、诊断病虫害及相应预防措施等农业专业软件,以及产品的收获、干燥、储存以及销售等软件[61,62]。

(4)设施农业或设施园艺的智能化、自动化。发达国家,如欧共体、日本等,十分重视蔬菜、瓜果、花卉生产的自动化与智能化,即设施农业或设施园艺农业生产的工厂化,又称为植物工厂或农业工厂。从田间小气候的自动智能控制(温度、湿度、CO_2 浓度、日照、空气对流等),土壤墒情监测,自动供水、供肥,尽量给作物创造一个最佳的生长环境,包括土壤消毒、灭菌,果实的采摘、分选、装箱、保鲜等[63~66]。

由于农业专家系统迅速发展,从 1991 年开始,大约每二三年召开一次农业专家系统的世界大会。在远东,由日本和韩国联合举办了两届会议,后又扩大为亚太地区性会议。行业性的专家系统会议,或专家系统与其他技术相结合的国际性学术会议,每年均有举行[84]。

总之,农业信息技术已越来越受到世界各国的高度重视。欧共体已将信息与通讯技术应用于农业列为它的重点发展规划,应用专家系统、决策支持系统、图像处理、模式识别、数据库,以及 3S 技术,即全球定位系统(GPS)、地理信息系统(GIS)、遥感技术(RS),来进行定位作物管理(Site-Specific Crop Management, SS-CM)及精准农业(Precision Agriculture, 又称 Precision Farming)生产,引起了有关各方的浓厚兴趣。将田间信息(作物产量、土壤、土壤墒情、病虫害强度等)准确定位,利用这些信息来控制肥料、种子、农药、灌溉水等用量,并可用来评估作物生产中各种管理措施的有效性。同时,借助于农业专家系统技术(ES)帮助分析决策,以使投入的资源量发挥最大的效益。

1.2.3 我国农业专家系统的发展概况

国内研制专家系统起步较晚,在 20 世纪 70 年代末才开始,但发展很快。早期有北京研制的"关幼波肝病系统",上海计算所研制的"中医内科诊断系统",吉林大学与白求恩医科大学合作研制的"子宫癌诊断系统",贵州工学院研制的"中医妇科专家咨询系统",吉林大学与中医研究院合作研制的"皮肤科诊断系统"等医疗领域的专家系统。在工农业方面,有清华大学研制的"运输调度专家系统",浙江大学研制的"计算机辅助服装裁剪系统"、"计算机辅助动画过程",吉林大学与地质科学院矿床研究所合作研制的"勘探专家系统",吉林大学与航空物探总队合作研制的"航空物探专家系统",吉林大学与国家海洋局合作研制的"台风路径预报系统",吉林大学与大气物理研究所合作研制的"暴雨预报专家系统",吉林大学与武汉地质学院合作研制的"金矿专家系统"等[73~75]。

我国农业专家系统的研究开始于 80 年代初。最早是浙江大学与中国农业科学院蚕桑研究所合作,研制蚕育种专家系统。1985 年,中国科学院合肥智能研究所与安徽省农业科学院土壤肥料研究所合作,研制出"砂礓黑土小麦施肥专家咨询系统",在安徽省淮北平原 10 多个县得到较大规模应用,开创了农业专家系统在我国农业生产上应用的先例。后又得到了国家"863"攻关项目、国家自然科学基金的资助,他们先后研制开发出一系列农业专家系统,如施肥专家系统,植物保护专家系统,栽培管理专家系统,病虫害防治专家系统,家禽水产养殖管理专家系统等。随后,中国农业科学院作物研究所的品种选育专家系统,植物保护研究所的粘虫测报专家系统,土壤肥料研究所的禹城施肥专家系统,华中理工大学的园艺专家系统,以及河北省农业厅与廊坊市农林局的冀北小麦专家系统,辽宁省农业科学院的水稻新品种选育专家系统,宁夏农林科学院的春小麦条锈病预测专家系统,北京农业大学的作物病虫害预测专家系统和农作制度专家系统,中国农业科学院畜牧研究所的畜禽饲料配方专家系统,中国农业科学院农业气象研究所的玉米低温冷害防御专家系统,南京农业大学与安徽省农业科学院的水稻害虫管理和稻丛卷叶螟管理专家系统,中国农业科学院新乡灌溉研究所的华北地区节水型农业技术体系专家系统等,相继研制成功并推广应用。在我国出现了一个十分喜人的研制农业专家系统的热潮。实践证明,这是一项投资少、见效快、实用性很强的高新技术,是传统农业向现代化农业转变的重要标志,为把先进农业技术送到亿万农民手中开辟了一条崭新的途径。有关专家系统的推广实践,促进了对农业专家系统基础理论的研究、提高及学术交流。1990 年,在合肥举行了全国首届农业专家系统学术会议。1991 年 11 月,在杭州举行了第二届全国农业知识工程学术会议,并正式成立了全国农业知识工程学会,挂靠于中国自动化学会。1993 年,在河北承德召开了第三届学术会议。1999 年 11 月,在合肥召开了全国农业信息技术联合学术会议暨第四届全国农业知识工程学术会议[76~88]。

"九五"期间,农业专家系统被列入国家科技成果重点推广计划,在北京、云南、安徽、吉林 4 个省建立了示范基地。针对我国特殊的农业生产和技术扩散环境,农业专家系统作为一种先进的农业技术推广工具,具有以下功能和优势:

(1)汇集高水平的农业知识,克服了农村地区交通和信息不便的障碍,实地指导农业生产,解决了农技人员不足及水平参差不齐的问题。

(2)汇集当地的农业知识,抢救、固化农学专家和种田能手的宝贵经验,使其逐渐积累,构成本地农业生产技术数据库和农业环境数据库。

(3)推广演算软件,采用多媒体技术,既有文字,又有声音、图像,直观形象,指导内容详尽,针对性、操作性强,易于被农民理解、接受,并付之于实践。

(4)农业生产时效性很强,农业专家系统能够随时解答农民生产中遇到的问题,大大减少了解决问题的时滞[86,88]。

农业专家系统是一种适合我国农业发展阶段的先进农业技术扩散工具,在实践中已经产生了巨大的效益。为此,美国农业部著名农业专家系统 Comax 的研究者海尔莱·蒙博认为,美国需要农业专家系统,美国农场主受过高等或专门教育,有若干农业专家作顾问,而中国农民文化素质低,农业专家又缺乏,土地辽阔而又分散,农民专家系统就特别有用。美国普渡大学著名农业知识工程专家巴瑞特教授认为,研制、推广农业专家系统,是在为中国人吃饭问题进行着伟大的工作[88]。

1.2.4 知识经济对我国农业的巨大挑战及新的农业科技革命

(1)知识经济对我国农业的巨大挑战。知识经济把知识作为最重要的经济发展因素,其特点是信息化、智能化。20 世纪 90 年代,美国经济学家罗默在“新增长理论”中指出:在计算经济增长时,必须把知识直接放到生产体系中考虑,也即知识被纳入到生产函数之内。由于知识作为经济资源的特点,知识的投入不再满足效益递减规律,而是效益递增。美国在 90 年代以来的经济发展中提供了知识作用于经济,从而带来经济持续增长的实例,已连续10 年出现了“一高两低”的经济持续高速发展,即高增长率与低通胀和低失业率共存的局面,平均年国民经济增长率超过 4%,而通货膨胀率保持 1.4%,失业率一直低于 5%。这一独特的经济现象,正是美国 90 年代以来,计算机软件业、通讯业的长足发展,对其他行业影响的结果。各公司利用计算机和先进的通讯,提高了劳动生产率,推动了知识密集型产业的兴起。

在各国经济发展极不平衡的状况下,知识经济的兴起对发展中国家构成了巨大的挑战。世界银行在 1998 年世界发展报告“促进发展的知识"(Knowledge for Development)提纲中指出：这种挑战的性质为"要么搭上车,要么更落后"。发展中国家由于受经济发展水平的影响,科技和教育力量薄弱,人口素质较差,创新能力和求知能力较弱,因此在获取知识的能力和机会中处于劣势,这导致了在发展知识经济中困难重重[89~94]。

目前,我国农业科技的总体水平还较低,科技对农业增长的贡献率只有 40%,主要领域研究水平与发达国家相差 10~15 年。农业仍未摆脱弱质产业和基本上靠天吃饭、自给自足、粗放式经营的小农经济态势。人多地少、资源紧缺、人增地减的状况,在相当长的时间内为"不可逆转"。美国世界观察研究所所长莱斯特·布朗曾以"谁来养活中国人"一文,引发了对有关中国未来农业前景、食物安全及对国际社会影响等重大议题的广泛争论。最近,他发表了一篇题为"中国水资源短缺将动摇世界的食物安全"的文章,从而引起全世界对粮食保障体系的恐慌。为此,中国的粮食安全与食物保障体系已成为中华民族乃至整个世界生存发展的重大问题[90]。

2000 年,我国与美国经过十分艰苦的谈判,最终达成中国加入世贸组织(WTO)的中美两国协议,为我国正式加入世贸组织,扫清了最大的障碍,也给我国经济发展与世界经济接轨创造了条件,但将会给我国农产品市场带来极大的挑战与冲击。按照协议,到 2004 年之前,我国目前高达 45% 的农产品关税将根据农产品的不同品种降低 10%~72%。也就是说,到 2004 年农产品平均关税要降至 17%,重点农产品关税则要降至 14.5%。中国将开放国内巨大的农产品市场。加入 WTO 后,美国小麦、玉米、柑橘、肉类将打入我国市场,将使我国农民卖农产品难的问题更加突出。这对刚开始面临市场经济还不知所措的广大农民来说,不仅要面临自然风险,更要面临市场风险。特别是国内市场发育不健全,农民仍是一家一户的小农生产,农产品缺少深加工,再加上经营高度分散,缺乏营销组织,信息闭塞,近些年农民已经苦尝了市场风险的酸楚,基本上是增产不增收,购销矛盾突出。而且由于品种老化和质量不高,特别是高科技含量低,无法参与市场竞争,优胜劣汰,确实是面临"生"与"死"的挑战[91]。

(2)新的农业科技革命将促进我国农业实现跨跃式发展。1996年9月,江泽民总书记明确向世界宣布"中国的农业问题,粮食问题,要靠中国人自己解决";《中共中央关于农业和农村工作若干重大问题的决定》中指出:"农业的根本出路在科技,在教育。要使我国的农业由传统农业向现代化农业转变,粗放经营向集约经营转变,就必须要求农业科技有一个大的发展,进行一次新的农业科技革命"。特别强调指出:"依靠生物工程、信息技术等高新技术,使我国农业科技和生产力实现质的飞跃,逐步建立起农业科技创新体系"。

按中共中央制定的"三步走"战略设想,到2030年前后,我国国民经济要达到中等发达国家水平,要实现四个现代化。而农业要实现现代化,科技又是关键。根据中国的国情,我国目前正处于由传统农业向现代农业转变的初期,要通过生命科学、信息科学等领域的重大突破和现代高新技术在农业上的加速应用,来促进农业科技的跨跃式发展。为此,必须坚持以高新技术改造传统农业。只有把高新技术和传统农业技术结合起来,才能推进农业现代化的进程,促进农业综合生产能力和劳动生产率的大幅度提高[89]。

因此,应抓住知识经济兴起的有利时机,按照"十五大"提出的"三步走"发展战略,大力发展以知识和信息为基础的现代农业,构建我国农业知识创新体系,实现农业现代化和知识化的协调发展,用科技和人力的强大动力促进农业和农村经济全面发展。我国农村农业生产活动地域分散,边际生产率低,在土地资源普遍稀缺的环境中规模经济效益难以实现,生产活动很大程度上依赖于个体的劳动者。从长远角度看,提高农业劳动者素质,加强农业生产技术知识的普及、传播是提高农业生产效率的惟一可行途径。农业生产影响因素繁多且复杂,时空变异性大,生产稳定性和可控性差,易于遭受气候、气象、病虫害等灾害的侵袭。这些特点决定了农业生产对信息技术的需求和依赖。世界上绝大多数国家都存在着专业的农业生产知识传播媒介,发达国家应用信息技术指导农业生产、推动技术扩散已经取得了一定的成绩和经验。在我国,人口不断增长、耕地不断减少的趋势短时间内不可逆转,必须依靠科技进步提高农业生产力,稳步发展农村和农业经济。应用信息技术改造传统农业,为农业决策提供信息支持,加快农业生产知识扩散。这对于提高农业劳动者素质和农业生产力的发展具有重要作用。我国农业专家和技术人员较缺,先进的农业生产技术很难深入农村。虽然广大的农业科技工作者辛勤工作,取得了许多研究成果,积累了大量宝贵的经验,可是转化为生产力的转化率很低。而农业专家系统来自专家,又高于专家,可以替代多学科的专家群体深入农村,进入农家,促进高新技术改造传统农业,推动农业生产的发展,对实现农业现代化产生重大影响,从而成为我国农业信息技术应用发展的热点。为此,国家科技部明确提出:以农业专家系统为突破口,发展我国信息技术[92~95]。

1.3 研究的主要内容及其哲学思想

1.3.1 研究的主要内容

根据以上我国农业科技面临的挑战和机遇,每个农业科技工作者都热切希望能在这场新的农业科技革命中增砖添瓦,发挥自己应有的作用。从我们多年从事节水灌溉管理研究的情况看,一方面,农民热切盼望能得到实用的科学技术,以加速脱贫致富;另一方面,高级农业技术专家的数量又很有限,很难深入到农村进行技术推广与技术培训,把技术真正送到农民手中。而节水灌溉管理的新技术、新观念,只有被广大农民掌握并真正应用到生产实践中去,才能转化为生产力。为此,我们应用中国科学院合肥智能研究所开发的雄风系列 3.1 专家系统开发工具,研制出适用于我国北方旱区,特别是西北干旱半干旱地区的节水灌溉管理决策的专家系统。该系统由 4 个各自独立的专家系统集成。

(1)灌溉预报与节水灌溉决策专家系统。主要通过人机对话,输入所需预报地块的土壤、作物、气象以及水文地质等参数,计算机即可推理出该田块该不该灌水,何时灌水,灌多少水最合适、最经济,以及对应于不同灌水策略下的供水成本与增产效益,以帮助农民作出最佳的节水灌溉决策。可见,这一系统主要是立足田间、面对农户来进行节水灌溉预报决策的。

(2)灌区计划用水与水量调配决策管理系统。这一系统主要用于某一区域(灌区)范围内的计划用水管理及渠系水量调配,从用水前编制各级的用水计划,到实际用水时的各级渠系的水量调配以及水源不足时的渠系优化配水,一直到某一阶段用水结束时的计划用水总结,内容包括河源的引水量、灌溉面积,作物种植面积、生育阶段,各级渠道的有效利用系数以及水费核算等。因此,该系统主要是从灌区各级渠系的角度来考虑如何加强灌区计划用水管理与渠系水量的调配决策的。

(3)灌区管理体制改革的专家系统。结合陕西关中九大灌区目前正在深入开展的支、斗渠管理体制的改革,本系统主要介绍:①支、斗渠管理体制改革的目的与意义;②改制的几种主要形式、适用条件、运作程序;③各种改制形式的优、缺点分析以及改制的成效;④民营水价的核定原则及计算办法。另外还涉及到干、支渠系及管理机构主系统的改革方案及改革内容。

(4)陕西省旱情决策专家系统。整个系统由以下 7 部分组成:①对陕西省自然地理特征的概述;②将全省划分为 9 个不同的干旱分区,对各区主要作物的旱情决策作出详述;③抗旱服务队建设的必要性,抗旱经费管理办法以及抗旱服务队建设举措;④旱地保墒抗旱措施介绍;⑤全省节水灌溉对策;⑥关中地区水资源统一调配设想;⑦分区评述农业生产结构的优化。

可以说,我们所研究的内容已基本涵盖了灌溉管理的各个方面,并进行了集成处理,可供用户任意选用,达到了高效、实用、先进性及可推广性[96~108]。

1.3.2 本研究的哲学思想

哲学所研究的是思维和存在、精神和物质的关系问题。哲学就是认识论。我们在实践中深刻体会到:搞科学研究必须用马克思的唯物辩证法和认识论来作指导。因为节水灌溉管理研究的主要目的是为了更好地指导农民的节水灌溉实践及灌区的计划用水管理,以达到用高新技术去改造传统农业,使效益倍增、生态环境改善及农业可持续发展的目的。为此,必须从我国灌溉农业的实际出发,进行大量深入的调查研究。例如,必须深入了解并掌握灌区现行的用水管理全过程,从灌水前由下而上统计汇总作物种植面积,分析了解各主要作物的灌溉制度;深入灌区基层管理站、配水段及用水斗,收集多年的气象、作物、土壤及实际灌水资料;要与灌区各级配水人员反复座谈,获取第一手资料。在此基础上还需通过深入思考,把感性认识提高到理性认识,才能逐渐对某一问题有清楚的认识。并且还需把基本知识与计算机人工智能技术的理论基础——知识工程结合起来,要把灌区节水灌溉管理的经验、方法、措施转化为计算机可识别的知识库,并需告诉相应的推理方式。其间,自始至终贯穿着从实践中来,到实践中去,通过实践的检验来不断改进认识的全过程[20~22]。

另外,一个很重要的思想是,作为一个农业科技工作者,必须亲自投身到社会变革的实践中去,在社会实践中才能有所发现、有所总结、有所提高。例如,对陕西关中九大灌区的更新改造工程,世界银行及陕西省项目办公室委托西北农林科技大学,对支、斗渠管理体制改革进行专项研究,并进行连续5年的监测评价与跟踪调查。这给我们提供了一个极好的实践机会,从中可了解到我国灌区适应市场经济发展进行管理体制改革的实际情况,从而受到启发,提高水平。

高等农业院校是农业专家和农业知识高度密集的地方,也是培养高层次农业科技人员的摇篮。作为教师或科技人员,必须注重产、学、研结合及科技成果的推广应用。只有把高新技术通过田间培训,让广大农民接受并付诸实践,才能提高生产力。否则,束之高阁,一钱不值。

专家系统是一个模拟人脑思维模式,以知识为基础的计算机软件系统。其特点在于把人(专家)在解决问题过程中使用的启发性知识、判断知识,分成事实和规则,以一定的知识表示形式存入计算机,建立知识库。基于知识库,采用合适的产生式系统(Production System),按输入的原始数据,选择合适的规则进行推理、演绎,作出判断和决策,即可起到有关专家的作用。所以,又称之为电脑专家系统。它的最大特点是,可以将不同学科的专家知识加以综合、集成,这样一个专家系统可以代表一个农业专家群体,对农业生产实际问题提供专家级的咨询、决策意见。它可以深入农村,进入农家,在实践中不断得到完善和提高。还可以使这一高新技术在农村应用平民化、"傻瓜化"(即与"傻瓜"相机一样好使)。通过农业专家系统的培训、普及、推广,带动整个农业科技革命,改造传统农业,提高农民的科技素质和劳动生产力。

面对西部大开发的极好机遇,作为国务院设立的杨凌高新农业科技示范区,十分有必要充分发挥自身农业科技综合实力强的优势,尽快组建多学科交叉的新型学科——农业知识工程。研究具备农业专家群体知识,能切实解决农业生产实际问题的农业专家系统,走向田头,进入农家,具体指导农民不断提高科技素质,培训农业技术人员,把先进实用的农业技术直接交给广大农民。农业专家系统的开发应用是传统农业向现代化农业转变的标志,是科技兴农的重大突破,为把先进农业技术送到亿万农民手中,开辟了一条崭新的途径[109~122]。

国际上的一些发达国家,如美国、欧共体、日本、澳大利亚等国,通过农业信息及高新技术在农业方面的推广应用,已有效地推动了农业的持续发展。针对我国农业现状,更需要农业专家系统(或称信息农业)来改造传统农业,促进新的农业科技革命。知识经济的兴起已对我国农业构成了极大的挑战,必须加速我国农业的跨越式发展。为此,我们提出组建多学科交叉的新型学科——农业知识工程的建议,以担负起开发大西北的历史重任。

第二章　农业专家系统的理论基础研究

2.1　农业专家系统的基本原理

专家系统是人工智能中面向应用的重要分支之一。它的理论基础是人工智能的知识表示和问题求解技术。知识和推理构成专家系统的两大要素。而专家系统的核心是知识,所以专家系统又常称为知识基系统,或基于知识的系统(Knowledge-Based System)。专家系统最基本的技术是研究知识的表示、知识的运用、知识的获取等。国际上,把专家系统技术在学科方向上称之为"知识工程"(Knowledge Engineering,简称 KE)。当今计算机系统的应用,已经由数据处理进入知识处理的阶段。知识处理是计算机系统发展的必然趋势。计算机界权威人士 Edward A. Feigenbaum 于 1977 年在国际人工智能会议上指出:"90 年代是知识处理的年代","21 世纪将是智能处理的时代"。近 10 年来,作为知识工程的开发应用,各种专家系统已广泛应用在社会的各个领域,并已产生了巨大的社会效益和经济效益。随之出现的一种新型产业——知识工程产业正在蓬勃兴起。据报道,全世界的知识工程产业的产值每年以超过 20% 的增长速度在发展,足见其生命力之旺盛[18~28]。

2.1.1　农业专家系统的定义

农业专家系统是用基于知识的程序设计方法建立起来的计算机系统。它拥有农业领域内某些专家的知识和经验,并能像专家那样运用这些知识,通过推理,在农业领域内作出智能决策。

从上述定义可知,农业专家系统主要包含知识库和推理机两大部分。事实上,一个完整的农业专家系统由 4 部分组成,即知识库、推理机、解释器和学习器。各部分之间的关系如图2-1。

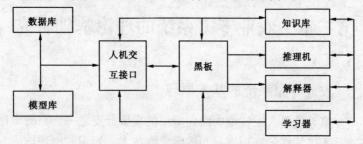

图 2-1 农业专家系统的结构及组成

2.1.2 农业专家系统的基本结构

（1）知识库（Knowledge Base）。知识库是用来存放农业专家提供的专门知识的。在这里，知识以一定的形式表示。在系统中它独立于其他各部分，这是专家系统结构的一个重要特征。知识库存放知识的方式是由知识表示策略决定的。常用的知识表示方法有产生式规则、语义网络、框架、谓词逻辑、模糊关系及模糊逻辑、人工神经网络学习等。

（2）推理机（Inference Engine）。推理机的功能，是根据一定的推理策略，从知识库中选择有关知识，对用户提供的证据进行推理，直到得出相应的结论为止。推理机包括推理方法和控制策略两部分。

（3）解释器（Explanatory Interface）。专用于向用户解释"为什么"、"怎样"之类的发问。例如，显示中间推理结果或整个推理路径，就是解释器在推理机配合下实现的。它的功能强弱反映了该专家系统的透明性和可信任程度。

（4）学习器或知识获取（Knowledge Acquisition）。根据系统运行经验，自动、不断地修正和补充知识库的内容，达到自动学习的功能。又称为知识获取或机器学习。

（5）黑板（Black Board）。又称中间数据库，它存放并显示各种中间推理结果和通讯信息,是人机交互接口与专家系统之间非常重要的联接通道。

(6)人机交互接口(Man-machine Interface)。又叫用户界面,即用户与农业专家系统进行双向信息交换的部分。一般是用来进行数据、信息或命令的输入,结果的输出和信息的显示等。它们与用户交往的媒体, 可以是文字、声音、图像、图形、动画、音像等。

(7)数据库(Data Base)。存放着系统历史的或动态的有关数据。例如,可以是系统运行中用户输入的数据、中间推理得到的结果及最终结果等。

(8)模型库 (Model Base)。产生并存放农业专家系统知识库所需的各种测报模型。其预报的精度及准确性直接影响系统决策的可靠性与科学性。因此,应尽可能建立较成熟且新颖的计算机预报模型、常规的多元回归模型、人工神经网络预报模型或模糊评判模型等[18~33]。

2.2 知识表示

知识是农业专家系统的核心,知识表示是专家系统乃至人工智能的重要研究内容。知识的要素是事实(Facts)、规则(Rules)和概念(Concepts)。对这些要素要有一套描述工具,反映知识的内在结构关系,按一定的规则要求,经过推理得出相应的结论(新的事实和规则——新的知识)。也就是说,要有一套知识表示方法。目前,比较流行的知识表示方法有下述几种。

2.2.1 谓词逻辑表示方法

一阶谓词逻辑是谓词逻辑中最直观的一种逻辑。它以谓词形式来表示动作的主体、客体。例如,张三与李四打网球(Zhang and Li play tennis),这里的谓词是 play,动作的主体是 Zhang 和 Li,而客体是网球,用谓词逻辑表示:play(Zhang, Li,tennis)

另一例:玛丽喜欢苹果(Mary likes apples),用谓词逻辑表示:

likes(Mary，apples)。又如，贝斯喜欢玛丽所喜欢的一些东西(Beth likes any thing that Mary likes)可表示如下：

$$likes(Beth, x) If likes (Mary, x)$$

这里包含有一个事实"Mary likes apples"和一个规则"Beth likes if Mary likes it"。读者知道这个 x 的含义(或代词 it 的含义)。因为有一个已知的事实，代词 it 代表 apples，于是变量 x 有值 apples[29,32]。

2.2.2 产生式规则表示方法

产生规则(production rule)是最常用的表示方法。它的表示格式为：如果条件集合成立，则结论成立。亦即：

$$IF（condition is satisfied）THEN（action）$$

这种表示形式的可用性，是由于每一条规则的应用条件阐述得比较明确，而且规则之间的相互作用较小(即一条规则不调用其他的规则)，便于人们对拥有大量知识的系统进行理解和修改，因而早期开发的几个大系统均应用产生式规则表示方法。

2.2.3 框架(方法)理论

20 世纪 70 年代初，美国麻省理工学院 M.Minsky 提出一种知识表示的新理论，叫框架理论(frame theory)。他从心理学的证据出发，认为人们在日常的认识活动中，使用了大批从以前的经验中获取并经过整理的知识。该知识以一种类似框架的结构存在于人脑中。当人们面临新的情况，或者对问题的看法有重要变化时，总是从自己的记忆中找出一个合适的框架，然后根据实际情况对它的细节加以修改、补充，从而形成他对所观察到的事物的认识。所以，框架提供了一种结构，在它里面新的数据将用从过去经验中获取的概念来解释。知识的这种组织形式，使人们面临新情况时能根据旧经验进行预测，引起对有关事项的注意、回忆和推理。所以，它是一种理想的知识结构化表示方法。同时框架也是一种表示定型状态的数据结构。它的顶层是固定的，表示某个固定的概念、对象或事件;其下层由一些称为槽(slot)的结构组成,每个槽由若干"侧面"组成。所以框架是一种层次的数据结构,框架下层的槽可以带子框架,子框架本身还可以进一步分层次。

框架的形式表达如下:

框架名:FRAME　　　　节水灌溉

状态槽:STATE　　　　灌溉预报

处理槽:PROCESS　　　作物需水量

2.2.4　语义网络方法(Semantic Networks Representation)

语义网络被用来描述基于网络结构的知识表示方法。语义网络最初是作为研究人脑的心理学模型而提出的,现在已成为人工智能和专家系统中的一种标准的表示方法。语义网络由节点和描述节点间关系的弧连接组成,其中节点表示目标、概念或事件;弧则表示它们之间的关系。语义网络表示方法,可以把事物的结构、属性及因果关系,通过节点与弧链的形式,明显而简要地表示出来,自然直观,易于理解,也符合人们在处理问题时的思维习惯。

推理网络图是一个有向关系图。它由一组节点和若干条连接节点的弧构成,节点表示事实,弧表示节点之间的关系,在弧之间有"与"和"或"的关系。用网络来表示一个领域的知识和问题时,需要掌握终节点、中间节点和叶节点的选取。

(1)终节点。亦即最终求解目标,它是系统最终所要解决的问题。系统问题若分解成独立的子问题,也可以将这些子问题的目标作为终节点。终节点在网络图上用方框表示。

(2)叶节点。也称初始节点或端节点,它是求解问题时要求用户提供的数据,或从数据库获得的数据信息。叶节点在网络图中用双圆圈形式表示。

(3)中间节点。是终节点与叶节点之间的节点。中间节点可以是由叶节点组合产生的一组节点,也可以是中间节点之间或叶节点之间相互组合产生上一层的中间节点。它们可以用单圆圈形式表示。

网络中节点间弧的连接关系为"父子"关系。例如,节点 x 是由下层节点 y 来决定的,那么,x 节点与 y 节点之间即为因果继承关系,它们之间用一个有向弧来连接。例如,"实际作物蒸发蒸腾量 ET_c"可由"参考作物蒸发蒸腾量 ET_0 与相应的作物系数 K_c"来决定,网络图如图 2-2。

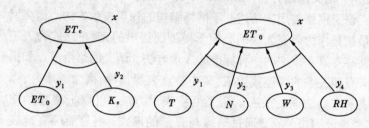

图 2-2 "父子"因果关系与"与"关系

整个节水灌溉预报的推理网络如图 2-3。

知识表示不仅是专家系统的核心课题,而且已经形成了一个独立的子领域。知识表示方法学的主要问题是设计各种数据结构,即知识的形式及表示方法,研究表示与控制的关系、表示与推理的关系及知识表示与其他研究领域的关系。其目的在于通过知识的有效表示,使人工智能程序能利用这些知识进行推理判断并作出决策。

在知识库中,每一个规则或框架等都是独立存放的。这些独立的规则、框架等称之为知识单元,是知识库的最小细胞。它们存放的位置不受限制,可以在知识库中的任意地方。在知识获取中,知识单元的这个特点给知识的安排和以后知识的增、删、改带来很多方便。这是专家系统优于一般计算机应用程序系统很重要的地方[23~28]。

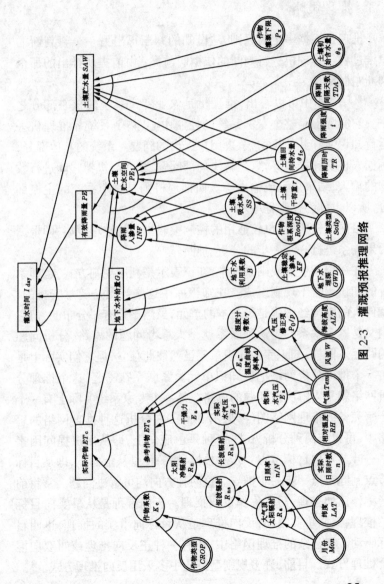

图 2-3 灌溉预报推理网络

2.3 推理策略

推理是根据一定的原则,从已知的判断得出另一个新判断的思维过程。推理机进行判断的依据叫前提,由前提所推出的那个判断叫做结论。

从图 2-1 中可以看出,推理机是农业专家系统的核心部分之一。它实际上是整个专家系统的控制中心,整个系统靠推理机去运行知识库和其他机构,解决用户提出的问题。系统的其他部分,例如人机交互接口等,只是解决局部问题,如人与机器之间进行数据的输入、结果显示或输出等。而推理机则是整个系统的主控部分,所以也称为控制程序。

目前比较成熟、也较通用的控制策略主要是推理策略,即根据因果关系进行一步一步的分析、推断。

在一个产生式规则系统中,知识表示是利用规则方式,也即系统的知识用若干规则组成。在知识库中这些规则是随意安排的,就像人的脑神经细胞是最基本的单元,虽然不是有序分布的,但它们又是紧密联系的。这种联系就是人思考问题的思路、分析问题的路径。同样,知识库的知识单元虽然彼此独立,但它们实际上是由一个推理分析网络把各知识单元紧紧联系在一起,这个推理分析网络就是人解决该问题的思路。每一个专家系统实际上有一个严密完备的推理网络图(参见图 2-3)。在分析这种推理网络的思路中,可以有两种分析方式:一种是由底向上,即从用户提问因素——叶节点向目标节点一步一步推导;一种是从上向下,即从目标节点到叶节点一步一步推导。这两种方向均可解决问题。常将前者称作正向推理,后者称作反向推理。正向推理是从事实向目标的推理,又叫事实驱动;反向推理是从目标向事实的推理,也叫目标驱动。在复杂的推理网络中,还有一种正反向推理或叫双向混合推理方式。目前,许多规则型系统中多采用反向推理方式。

2.3.1　反向推理(Backward chaining)

　　反向推理的思路是一种称作"假设—测试"的策略。先假定某一个目标,然后去测试,寻找以此目标为结论的规则集,逐个检查规则集的各个规则。若某一个条件是另外某一规则集的结论,则又需去该规则集检查各个规则,逐一查找相应条件,如此向前(即由上向下)递归查找。若某个条件不是任何规则的结论,而是推理图中的某个叶节点,则需向用户提问,或从数据库提取已有信息。若用户或数据库无此信息,即某个或某些条件不为真,则该规则推理终止,转去该规则集中的另一规则。这样形成若干条路径。若从该目标推理的路径上有一条获得成功,即该目标为真,则此次推理结果就是这个目标,不再去检索其他路径。如果此目标经推理达不到真值,即说明此假设测试失败,则选下一目标进行"假设—测试",直至选择到某一目标为真为止。如果所有目标全部搜索后,无一目标为真,则此次推理没有结果,或叫无解。

　　知识表示策略与推理机制两者是相互配合的,不同的知识表示策略需要相应的推理机制。

2.3.2　正向推理(Forward chaining)

　　与反向推理相反,正向推理是以事实或数据驱动的。根据推理网络图的叶节点,即询问因素,由用户提供的事实、数据开始,自下向上进行推理。推理进行时,逐一将用户提供的信息与各规则的条件进行匹配,直至某条路径到达某个目标节点,求得当前问题的解答。

2.3.3　混合推理(Forward and Backward Chaining)

　　混合推理即正向推理与反向推理配合进行,充分运用这两种推理各自的优点。反向推理中目标的选择是顺序进行的,浪费很多时间。可以先通过某些已知数据或事实的驱动去选择合适的目标,然后再反向推理,这样既减少了反向推理选择目标的盲目性,又克服了单纯应用正向推理漫无目标的盲目性。

以上介绍的 3 种推理方式基本上是针对规则型知识。框架型表示方法的推理机制与产生式规则的推理有些相似。产生式规则的推理是一条条规则的传递,框架推理是一个个框架之间的传递,但具体实现方式不同。产生式规则是依靠条件与结论逻辑上的匹配来实现的;框架的推理是依靠有关槽的侧面,通过判断转向另一框架来实现的。

2.3.4　不确定性推理或近似推理

上面介绍的规则中,条件和结论本身所表示的知识均是确定性的知识,即不是"是",就是"否",条件与结论之间的关系也是肯定的。而实际生活中,许多事实、概念并非绝对肯定和能够精确描述的。例如,作物受旱程度的轻重、土壤有效含水量等有时很难精确描述,等等。另外,作为规则本身,如条件不是很肯定或有程度轻重的情况,确定是否灌溉也有肯定程度的不同。作为精确性推理,经推理后得到的最后结果是肯定的结论。但当考虑了这种不确定性,经过若干次推理,最后的结果可能是得到某个结论的可能性极小甚至不可能。为了表达这种不确定性,常采用概率论、证据理论、模型理论等数学方法来进行不精确计算,即考虑附加可信度因子。

要让计算机代替人们进行事务处理,执行决策,就要模拟人们处理问题的推理过程,也就是要总结人类中优秀代表处理某类问题的经验,并在计算机中实现。众所周知,应用计算机进行的推理是以二值的形式逻辑为基础的形式推理;而人们在处理问题中经常使用的是"合情推理"。这种推理对一个命题的判断不只是简单的"真"或"假",大量地表现为"亦真亦假"的中间模糊状态的判断。而模糊数学给出了模糊逻辑和近似推理的理论和方法。近似推理可看做是对"合情推理"的数学描述。将近似推理装配到计算机中去,可使其模拟人的决策过程。

从模糊数学应用的框架来看,专家系统的主要内容为:差异的提取,概念的叙述,模糊判断,近似推理,经验总结与学习过程。即近似推理为专家系统提供了理论基础,而专家系统为模糊数学提供了广阔的应用舞台。

管理现代化的中心环节是决策,而模糊数学恰恰能在多目标决策方面充分地显示其威力。美国控制论专家查德(L. A. Zaden)曾指出,在未来的年代中,对于模糊集合论的接受很可能要借助于专家系统——作为计算机科学和人工智能的最重要应用之一的出现。因模糊逻辑提供了基于模糊数据库的更为系统、更为可靠的推理方法和基础,因而很可能成为专家系统中知识表达和推理两方面广泛应用的工具。

根据农业知识的特点,还有非单调推理、定理推理、常识推理、基于案例推理,等等[15~33],可根据实际情况选用。

2.4 知识获取

知识获取的实质,可以看做是机器学习的问题。农业专家系统是依靠运用知识来解决问题和作出决策的。而知识来源于客观世界,要使系统不断适应外界环境的变化,提高解决问题的能力,显然,系统也需要像人类那样,能通过学习积累经验,不断增长才干才行。因此,使机器具备学习能力的问题,便成为人工智能领域重要的研究内容。

在农业专家系统中,知识库的建造通常是知识工程师与农业专家密切配合的结果。农业专家自己总结,或知识工程师与农业专家共同整理、总结该领域的知识和他们的实际经验、模型及研究成果等,按所建农业专家系统规定的知识表示形式,整理成一个个知识单元,放入知识库,这种过程称之为知识获取。

Feigenbaum说过:"知识获取是人工智能研究最重要的中心问题,是人工智能研究中的关键"。因为专家系统的核心是"知识",从一定意义上说,知识的获取、知识的表示和知识的运用构成了农业专家系统开发的核心内容。专家系统强调专家知识在问题求解中的作用,特别是专家的启发式知识在问题求解中的作用。

知识获取的任务就是把农业专家对书本上的知识,对客观世界的认识和理解进行选择、抽取、汇集、分类、组织。从事农业专家系统研究的知识工程师,一般都把学习看做是获取一种显式的知识,因为农业专家系统用庞大的规则集来表达专门的知识,显然这些规则是需要继续进行收集并加以组织和扩大的,以提高系统的性能。这里强调了要使获得的知识是显式的,以利于验证、修改和解释,这样的知识获取系统就是要根据实例去发现新规则,或者从农业专家那里接受新规则,并把它们加入到知识库中去。学习总是与环境和知识库紧密相关,因而可以用图 2-4 所示的简单学习模型描述。

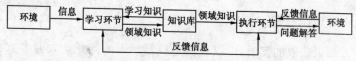

图 2-4 简单的学习模型

模型中的 4 个环节构成了学习系统的基本组成部分。其中,环境和知识库是以某种知识表示格式表达的信息描述体,分别代表外界信息的来源和系统拥有的知识(包括学习的结果);学习环节和执行环节代表两个过程,学习环节对环境所提供的信息进行处理,以便改善知识库中的显式知识;执行环节利用知识库的信息来完成某种任务,然后将完成任务过程中所获得的一些信息反馈给学习环节,这是学习系统的重要特征。

按照学习环节处理信息的不同方式,可将学习方法分为以下几种:

(1)机械学习。机械学习就是知识的记忆存储。学习环节只是简单地将输入信息同化到知识库中。机械学习作为其他学习系统的基础,不仅要接收外界的输入信息,更主要的是要接收执行环节的反馈信息。

（2）演绎学习。学习环节将较抽象的输入信息演绎转化成较具体的信息，再同化到知识库中。这种学习方式类似于学生向老师学习知识的过程。系统要求外界提供一般表示形式的信息，就是知识库中所需要的知识。它以领域知识为依据，通过对所列举的问题求解，得出一个在求解过程的因果解释树，以获取新的知识（主要是控制知识）。在获取新知识的过程中，利用对其属性、表征现象、内在关系等进行解释、阐述，从而学习到新的知识。

（3）神经网络学习。这种方法从模拟人的基本神经处理结构入手，试图从结构模拟达到功能模拟。神经网络模型是一种并行分布信息处理模型。它假设信息处理是通过大量称为单元的简单处理元件交互进行的，每个单元对相关层的所有单元发出激励或抑制信号。各个单元的信息发送是并行的，而信息是分布在整个网络系统中，一个节点或一条连线只表达一部分信息。在这种模型下，学习就是在给定的输入、输出模式下，通过学习过程自动调节各层之间权的数值和隐藏节点的阈值来完成的。神经网络是一非线性动力学系统，具有一定程度的自适应、自学习的能力。它在一定程度上模拟了人类凭直觉来解决问题的过程[15~33]。

2.5 农业专家系统开发工具

农业专家系统开发工具是开发建造实用专家系统的十分有用的工具。目前，国外开发专家系统基本上是运用开发工具来实现的。我国在建造农业专家系统时，应尽量运用专家系统开发工具来建造农业专家系统。提倡运用现成的开发工具，按照工具的知识表示策略规定的格式与技巧，将农业知识编写成知识，工具会自动帮助查找错误，十分方便。对初学者来说，采用工具建造比自己编程，其效率要高出几倍，乃至几十倍。

目前，国际上出现的专家系统开发工具已很多，不少已成为商品化软件,有些已引入国内。但由于对人工智能、专家系统的陌生,以及语言障碍,我国各领域的技术人员在工具的操作应用方面不一定能得心应手,尤其是农业方面的专业人员。有些工具软件由于强调"通用",针对性较差,难以应用。到 20 世纪 90 年代初,国际上出现了面向任务(task-specific)和面向领域(domain-specific)的开发工具。多年来,中国科学院合肥智能研究所研制了编辑型开发工具和智能型开发工具。其中,编辑型开发工具经多年不断地改进完善,已开发成雄风系列专家系统开发工具,在国内推广应用。

现将农业专家系统开发工具的主要类型介绍如下。

2.5.1　编辑型开发工具

该类工具是专家系统建造者(知识工程师或农业技术人员)将农业专家的知识,按规定的知识库描述语言格式编辑成知识库,并将获取的知识进行检验,生成所需的农业专家系统。它由专家系统外壳和知识库生成与管理子系统等部分组成。

所谓专家系统"外壳",上面已述,通常是指专家系统除知识库(可看做专家系统的内核)以外的公共部分,主要包括推理机、人机交互接口、解释模块、综合数据库等。它们具有通用性,当联入特定的知识库时,即构成所需要建造的专家系统。

知识库生成与管理子系统是开发工具的重要部分,它实现下列功能:

(1)按特定的知识描述语言,通过人机交互,将整理好的知识存入知识库。

(2)对建造完成的知识库进行结构与语法检查,显示出错信息,提示建造者进行修改。

(3)生成内部知识库。把能够辨认知识内容,也即通常所讲的知识库,称为外部知识库;而把控制机构能够推理运行的知识库,称为内部知识库。该子系统将外部知识库转换生成内部知识库。

(4)联结推理机对知识库进行动态模拟调试,进行完备性、一致性检验。

2.5.2 智能型开发工具

尽管上述编辑型开发工具的使用甚为方便,农业技术人员经短期培训就可以学会使用,但仍需熟悉如何将知识经验整理成按知识描述语言规定的格式进行编辑。根据我国农业领域的实际情况,用户不必了解人工智能、专家系统的术语词汇和原理,可完全按照农业领域的思维方式与术语去启发和引导农业专家和技术人员整理知识经验,这称之为智能引导型农业专家系统开发工具。这种工具比编辑型工具功能强,但实现的难度大。

2.5.3 自动知识获取工具

上述开发工具主要用于建造农业专家系统,其中获取的知识、经验大多数是农业专家能够总结给出的。在实际情况中,农业专家有时缺乏某些经验知识,但却有足够的实例或数据;或者有时专家的经验具有主观片面性。若有客观的数据,通过一定的方法总结出规则来,则更为可靠。能够通过客观有效的实例、数据等产生出专家系统的知识,这样的工具根据自动化程度称作自动或半自动知识获取工具。这种工具常常利用机器学习、知识发现技术和其他有关技术来实现[72,73,79,82,88]。

第三章　灌溉预报与节水灌溉
决策专家系统

3.1　节水灌溉的研究进展及创新性思路

江泽民总书记批示"再造一个山川秀美的西北地区"后,各方面均在关注西北地区的环境整治、生态建设和农业可持续发展问题。1997 年底召开的北京香山科学会议,讨论西北地区农业可持续发展问题。与会专家一致认为,制约西北地区可持续发展的关键因素是"水"。国家科技部近几年要抓五项关键科学技术,其中第一项就是农业节水技术。农业部在关于推进新的农业科技革命计划中,也把农业节水列为重点。

我国是一个拥有 12 亿人口的大国,人均水资源占有量仅为世界人均水平的 1/4。特别是北方地区,水资源不足,黄河断流加剧,水体污染,已严重影响到整个地区的生态环境及农业可持续发展。但现阶段我国农业用水浪费严重,主要灌区灌溉水利用系数仅为 0.4 左右。粮食作物的灌溉水利用效率,即灌溉 $1m^3$ 水增产的粮食,平均低于 1kg,而发达国家可达 2kg,以色列甚至可达 2.3kg。因此,发展节水农业,实现节水与增产的目标是可以同时实现的,而且其潜力很大。

为此,在当前要转变传统的农田灌溉观念,利用高新技术——农业专家系统,来改造传统的田间灌溉方法。大力推行按照水资源状况、作物生理特性及其需水规律的非充分灌溉、调亏灌溉及分根交替灌溉。制定高产节水的经济灌溉制度,逐步向"精准灌溉"的方向发展。要把近几年对节水灌溉的研究成果转化为节水灌溉的生产实践。

(1)作物水分生产函数。不同作物、不同生育阶段遭受水分胁迫对产量的敏感程度或影响是不同的。这已通过田间的作物受旱试验或作物水分生产函数试验数据得以证明。这项试验成果可为灌溉水的合理调配和选择关键供水期提供科学依据。

(2)调亏灌溉。水分亏缺对与作物产量有密切关系的各个生理过程的影响程度和顺序不同。其顺序为:生长速率→气孔开放→蒸腾速率→光合效率→同化物运输。亦即生长速率对水分亏缺最为敏感,同化物运输最为迟钝。而干旱缺水对作物的影响有一个从"适应"到"伤害"的过程。不超过适应范围的缺水,往往复水后,可产生生理上、水分利用上和生长上的"补偿效应",对形成最终产量有利无害。为此,在作物苗期营养生长阶段和生育期后期,人为地施加一定的水分胁迫,即可影响光合产物向不同组织器官分配的比例,减少作物生长冗余,提高水肥的利用率或改善作物品质,从而提高所需收获的产量。20 世纪 70 年代中后期,国外把此思路的补水方法称为调亏灌溉(Regulated Deficit Irrigation,简称 RDI)。

(3)非充分灌溉。传统的灌溉观念以高产、充分灌溉为目标,当土壤含水量接近灌水下限指标时进行灌溉,以不产生深层渗漏为原则,即整个作物根系湿润层达到田间持水率时停止供水。近几年的研究表明,作物叶片光合作用高值区域相对应的土壤含水率一般为田间持水率的 60%～80%。当土壤相对含水量超过80%或75%时,虽然作物叶片的蒸腾速率仍呈直线增加,但作物叶片的光合作用却不再增加,有时反而有下降的趋势。这说明将田间持水率定为适宜的土壤水分上限值偏高。而下限值与作物生育阶段的关系很密切。如在作物播种—出苗期,为了确保种子发芽和全苗,一般要求具有较高的土壤水分。此时土壤水分下限值一般不低于 $0.7\theta_{FC}$。而苗期为了蹲苗、壮苗,增加作物的抗逆能力,下限值多定为 $(0.6～0.65)\theta_{FC}$。又如对冬小麦,灌浆后期可控制在 $0.55\theta_{FC}$。中国农业科学院农田灌溉研究所 1994 年对冬小麦拔节—孕穗期的土壤水分、光合速率、气孔导度之间关系的研究表明,土壤水分与上述三个过程之间存在一阈值——12%左右的土壤含水率,相当于$(0.55\sim0.60)\theta_{FC}$(占干土重%)。适度的缺水,虽然会影响叶片的生长扩张,但并不影响叶片的气孔开放,不至于对光合作用的速率产生明显影响,最终也不会影响产量。因水分亏缺对蒸腾的影响迟于生长,而蒸腾作用下降却超前于光合作用。即使在轻、中度缺水情况下,气孔开度减小,蒸腾速率可能较大幅度下降,但光合作用仍不致显著下降,最终并不一定会造成产量的明显降低。但反过来,水分的利用率却可较大地提高。为此,相对于充分灌溉,将灌水不足,适度亏缺,从而作物蒸发蒸腾有所下降的灌溉,称为非充分灌溉(Unsufficient Irrigation),又称限额灌溉(Limited Irrigation)。

(4)分根交替灌溉。如何提高农田水的利用效率,是当前我国发展节水农业迫切需要解决的问题。以上所提出的非充分灌溉(Unsufficient Irrigation)、调亏灌溉(Regulated Deficit Irrigation)等,对由传统的丰水高产型灌溉转向节水优产型灌溉,或根据作物生理功能,人为地对作物某一阶段进行亏水处理,控制植物根冠比例,促进后期作物籽粒的形成与果实的生长,提高水分利用率起到了积极的作用。但以上这些方法仍然只是考虑了在时间上的调亏或水量上的优化分配,没有考虑植物根的功能和根区土壤的湿润方式对提高水分利用效率的作用。而控制性分根交替灌溉(Controlled Divided-Root Alternative Irrigation,简称 CDAI)的概念与以上概念有根本的不同。以上方法追求田间作物根系层的均匀湿润,而 CDAI 则强调从空间上实施分区供水,人为限制一部分根系干燥。即人为保持或控制根系活动层的土壤在垂直剖面或水平面的某个区域干燥,限制该部分的作物根系吸水,让其产生的水分胁迫信号(ABA)传递到叶气孔,形成最优的气孔开度。同时,通过人工控制,使在垂直剖面或水平面上的干燥区域交替出现,即该次灌水湿润的区域,下次灌水让其干燥,而上次灌水干燥的区域,这次让其湿润。这样就可以使不同区域部位的根系交替经受一定的干旱锻炼,既可减小棵间全部湿润时的无效蒸发损失和总的灌溉水量,亦可提高根系对水分和养分的利用率,从而以不牺牲作物的光合产物积累而达到节省大量水量的目的。

根据西北农业大学 1997 年在甘肃省民勤县水坝大田进行的玉米控制性分根隔沟交替灌溉试验成果,灌溉用水量减少 34.4%~36.8%,对光合产物积累的影响不大,而水分利用效率大为提高,节水效率达 33.3%。

(5)节水灌溉信息的监控技术。以上所介绍的 4 种田间节水灌溉新技术、新概念,由于土壤、作物、气候环境多变,情况复杂,空间变异性大,用传统的小农耕作技术,存在着较大"风险",主要是水分亏缺的程度、适宜的亏缺阶段难以准确掌握。而当作物生长处于需水关键期时,又必须保证供水充足。这些都有严格、科学的要求,如运用不当,"有益"的作用将变为"有害"。因此,应用灌溉新技术必须具备一定的条件,即需要对作物需水、适时供水及对土壤含水量信息的实时监控技术。为此,必须借用高科技信息技术,建立各田块土壤、作物、水文地质、农业气象、田间渠系等数据库,并开发出相应节水灌溉预报决策的农业专家系统,来实时指导农民的节水灌溉实践[103~124]。

3.2　节水灌溉预报的基本原理

在自然条件下,农田土壤水分往往与作物生长需求不相适应,土壤水分不足或农田水分过多现象时常发生,必须采取灌溉与排水等农业技术措施来调节土壤水分,为作物生长创造良好的土壤环境条件。以节水增产为目标的土壤水分调节,主要是根据作物生理特性及其各生育阶段的需水规律,适时、适量地进行灌溉,努力提高灌溉水的利用效率。所以,必须加强对作物田间土壤水分的监测与预报。

3.2.1 农田水量平衡原理

降水、灌溉、入渗、土壤水分再分布,植株根系吸水、叶面蒸腾及土壤水分的棵间蒸发等一系列水量转化过程,在连续不断地进行着,形成了农田水分的循环过程。通过分析研究农田水量的收支、储存与转化的动态过程,可为土壤水分的调控提供理论和实际应用的依据。

在节水灌溉实践中,一般均采用简单、直观的农田水量平衡原理。即在某一定时段 T 内,单位面积作物最大根系活动层内,所有的来水量应等于去水量和土壤储水量的变化量,即

$$I + P + G = ET + D + R \pm ASW \tag{3-1}$$

式中　I——T 时段内的灌水量,mm;

P——T 时段内的降水量,mm;

G——T 时段内的地下水补给量,mm;

ET——T 时段内的作物蒸发蒸腾总量,mm;

D——深层渗漏量,mm;

R——地面径流量,mm;

ASW——T 时段内土壤有效储水量的变化量,mm。

若加强田间管理与节水灌溉实践,式(3-1)可简化为

$$I_n + P_e + G_n = ET \pm ASW \tag{3-2}$$

式中　I_n——农田净灌水量,mm;

P_e——有效降雨量,mm;

G_n——T 时段内地下水有效补给量,mm;

其余符号意义同前。

$$G_n = G_e \cdot T \tag{3-3}$$

$$ET = ET_c \cdot T \tag{3-4}$$

式中　G_e——T 时段内平均每天地下水有效补给量,mm/d;

ET_c——T 时段内平均每天作物蒸发蒸腾量，mm/d；

其余符号意义同前。

则预报未来灌水时间为

$$t = (P_e + ASW)/(ET_c - G_e) \tag{3-5}$$

为此，节水灌溉预报系统的推理过程为：先由气象资料推求参考作物蒸发蒸腾量 ET_0 值（见图 2-3）。而后，由作物类型及生长月份或累计积温（＞15℃）来确定作物系数 K_c 值，即可得充分供水条件下，作物蒸发蒸腾量 $ET_c = K_c \cdot ET_0$；由实际的供水策略和土壤含水量下限指标，可得作物实际蒸发蒸腾量 $ET = K_\theta \cdot K_c \cdot ET_0$；由土壤入渗特性和初始含水量，可确定有效降雨量 P_e；由土壤类型及其特性和地下水埋深，可确定地下水有效补给量 G_e；由土壤初始含水量及作物生长允许的土壤含水量下限指标，可确定土壤有效储水量 ASW。

3.2.2 ET_0 值的预报与计算

（1）彭曼法（Penman Method）。采用国际上通用的综合法，并考虑气压订正的彭曼（Penman）公式[105~109]：

$$ET_0 = \left[\frac{P_0}{P} \cdot \frac{\Delta}{\gamma} \cdot R_n + E_\alpha \right] \Big/ \left[\frac{P_0}{P} \cdot \frac{\Delta}{\gamma} + 1.0 \right] \tag{3-6}$$

式中 $\dfrac{P_0}{P}$——气压订正项，计算式为

$$\frac{P_0}{P} = 10^{\frac{ALT}{18\,400(1 + Tem/273)}}$$

其中：ALT 为计算点的海拔高度，m；Tem 为计算点的日平均气温，℃；

Δ——饱和水汽压与温度曲线斜率，计算式为

$$\Delta = \frac{25\,966.89}{(241.9 + Tem)^2} \times 10^{\frac{7.63Tem}{241.9 + Tem}} \,(当 \; Tem > 0℃)$$

$$\Delta = \frac{35\,485.05}{(265.5 + Tem)^2} \times 10^{\frac{9.5Tem}{265.5 + Tem}} \,(当 \; Tem \leqslant 0℃)$$

γ——湿度计常数,计算式为

$$\gamma = 0.645\ 5 + 0.000\ 64\ Tem$$

R_n——太阳净辐射,mm/d,计算式为

$$R_n = R_{ns} - R_{nl}$$

其中:R_{ns}为太阳净短波辐射量,mm/d,计算式为

$$R_{ns} = 0.75(a + b \cdot n/N) \cdot R_a$$

a、b为根据日照时数估算的太阳辐射的经验系数,(见表 3-1),n/N为日照率,其中 n 为实测的日照时数,h,N 为最大可能日照时数,h,采用下式计算:

表 3-1　　北方九站根据日照时数估算太阳辐射的经验系数 a、b 值

省(区)名	站名	经验系数		相关系数	显著水平
		a	b	R	α
山　西	大同	0.195 1	0.512 0	0.789 1	0.01
	太原	0.167 5	0.584 8	0.856 6	0.01
	侯马	0.166 8	0.510 5	0.837 9	0.01
陕　西	西安	0.204 8	0.432 5	0.809 4	0.01
甘　肃	兰州	0.209 7	0.431 5	0.759 2	0.01
	敦煌	0.231 9	0.513 0	0.846 6	0.01
内蒙古	伊金霍洛	0.01	0.818 0	0.833 0	0.01
	二连浩特	0.035	0.815 0	0.782 0	0.01
	海拉尔	0.204 8	0.574 3	0.656 5	0.05

$$N = \frac{4}{15} \arcsin \sqrt{\frac{\sin(\frac{90.57 + \varphi - \sigma}{2}) \cdot \sin(\frac{90.57 - \varphi + \sigma}{2})}{\cos\varphi \cos\sigma}}$$

(φ 为测点的纬度;σ 为赤纬,其值变化在 $-23.5° \sim 23.5°$ 之间,$\sigma = 23.5\sin(0.986m - 78.9)$,其中 m 为从 1 月 1 号开始排序的日序,且 $m = 30.4mon - 15.2$,mon 为计算时段的月份)

R_a 为大气顶部的理论太阳辐射,以等效水面蒸发值表示,

mm/d,采用下式计算：

$$R_a = \frac{R_0}{\rho^2} \cdot \frac{T}{\pi}(\omega_0 \sin\varphi\sin\sigma + \sin\omega_0\cos\varphi\cos\sigma)/\lambda$$

（R_0 为太阳常数，其值为 $1.367 \times 10^3 J/(s \cdot m^2)$；$\rho$ 为以天文单位表示的日地平均距离（见表 3-2）；T 为 1 天的秒数，即 86 400s；π 为圆周率，其值为 3.14159；ω_0 为日出时角，$\omega_0 = 7.5N$；λ 为水的汽化潜热，其值为 $2\,498.8 - 2.33Tem(J/g)$）

表 3-2　　　　各月以天文单位表示的日地平均距离 ρ

月份	1	2	3	4	5	6	7	8	9	10	11	12
ρ_i	0.984	0.988	0.995	1.003	1.010	1.016	1.016	1.013	1.005	0.997	0.989	0.984

R_{nl} 为大地的长波辐射，mm/d，计算式为

$$R_{nl} = \sigma T_k^4(0.56 - 0.079\sqrt{e_d}) \cdot (0.1 + 0.9n/N)$$

σ 为斯蒂芬—玻尔兹曼常数，其值为 2.01×10^{-9}；T_k 为绝对气温，其值为 $273.16 + Tem$；e_d 为空气实际水汽压，hPa，其值近似为 $RH/100 \cdot e_a$，其中 RH 为空气相对湿度，e_a 为饱和水汽压，采用下式计算：

$$e_a = 6.11 \times 10^{\frac{7.63Tem}{241.9+Tem}}（当\ Tem > 0℃）$$

$$或\ e_a = 6.11 \times 10^{\frac{9.5Tem}{265.5+Tem}}（当\ Tem \leqslant 0℃）$$

E_a——干燥力，计算式为

$$E_a = 0.26(e_a - e_d)(1 + cU_2)$$

其中：C 为与日最高气温和最低气温有关的风速修正系数，用下式计算：

$$C = 0.07\Delta T - 0.256　（当\ T_{min} \geqslant 5℃$$
$$或\ \Delta T \geqslant 12℃\ 时）$$
$$\Delta T = T_{max} - T_{min}$$

（T_{max} 为日最高气温（℃），T_{min} 为日最低气温（℃））

或　$C = 0.54$（当 $T_{min} < 5℃$ 或 $\Delta T < 12℃$ 时）

U_2 为 2m 高度风速（m/s），其他任意高度 $H(m)$ 的

风速 U，要用下式折算成 2m 高度风速：

$$U_2 = \frac{4.87 \cdot U}{2.302\,3 \cdot \log(67.8H - 5.42)}$$

（2）多元线性回归 ET_0 预报模型。依据西北农业大学灌溉试验站 1998 年 7~9 月份于夏玉米生长阶段，使用大型蒸渗仪自动采集的日平均气温（Tem）、日照时数（N_1）、风速（W）及相对湿度（RH）等资料，采用彭曼公式计算出每天的参考作物蒸发蒸腾量 ET_0 值，并依据上述实测的 4 项气象参数，应用 STATISTIC 统计软件，进行了多元线性回归的分析处理，得

$$ET_0 = 2.1 + 0.093\,Tem - 0.022RH + 0.311W + 0.279N_1$$

$$\tag{3-7}$$

$$(R = 0.992)$$

ET_0 的计算值与预报值对比，如表 3-3。

考虑在生产实际中，往往得不到比较齐全的气象资料，为此，统计分析了气温（Tem）、相对湿度（RH）及日照时数（N_1）与 ET_0 值的回归公式为

$$ET_0 = 2.821\,4 + 0.916\,Tem - 0.026\,8RH + 0.265\,5N_1$$

$$\tag{3-8}$$

$$(R = 0.984)$$

又进一步分析了气温（Tem）、日照时数（N_1）两项气象因子与 ET_0 的回归方式：

$$ET_0 = 0.429\,3 + 0.102\,5\,Tem + 0.298\,8N_1 \tag{3-9}$$

$$(R = 0.969)$$

最后分析了实际日照时数（N_1）与 ET_0 的相关公式：

$$ET_0 = 2.699\,3 + 0.304\,2N_1 \tag{3-10}$$

$$(R = 0.924)$$

以上 4 种回归公式 ET_0 的预报值与彭曼公式计算值及其残差，如表 3-3。

表 3-3　　4 种回归公式 ET_0 的预报值与彭曼公式计算值的对比

（单位：mm /d）

日期	彭曼法 计算值	式(3-7)		式(3-8)		式(3-9)		式(3-10)	
		预报值	残差	预报值	残差	预报值	残差	预报值	残差
7月1号	3.32	3.38	−0.06	3.26	0.06	3.11	0.21	3.03	0.29
2号	5.42	5.30	0.12	5.24	0.18	5.38	0.04	5.22	0.20
3号	5.87	5.69	0.18	5.37	0.50	5.22	0.65	4.80	1.07
4号	5.26	5.13	0.13	4.88	0.38	4.50	0.76	4.01	1.25
5号	2.79	2.98	−0.19	2.75	0.04	2.79	−0.00	2.70	0.09
6号	2.44	2.50	−0.06	2.43	0.01	2.57	−0.13	2.70	−0.26
7号	2.15	2.06	0.09	2.13	0.02	2.44	−0.29	2.70	−0.55
8号	2.10	2.10	0.00	2.07	0.03	2.48	−0.38	2.70	−0.60
9号	2.47	2.56	−0.09	2.54	−0.07	2.72	−0.25	2.70	−0.23
10号	2.43	2.42	0.01	2.63	−0.20	2.76	−0.33	2.70	−0.27
11号	4.68	4.60	0.08	4.37	0.31	4.61	0.07	4.37	0.31
12号	3.17	3.16	0.01	3.41	−0.24	3.56	−0.39	3.19	−0.02
13号	3.20	3.46	−0.26	3.26	−0.06	3.36	−0.16	2.88	0.32
14号	3.78	3.87	−0.09	3.73	0.05	3.82	−0.04	3.34	0.44
15号	4.01	4.15	−0.14	3.64	0.37	3.66	0.35	3.31	0.70
16号	3.60	3.68	−0.08	3.45	0.15	3.24	0.36	2.94	0.66
17号	6.62	6.40	0.22	6.16	0.46	6.12	0.50	5.74	0.88
18号	6.82	6.69	0.13	6.60	0.22	6.54	0.28	6.17	0.65
19号	2.91	3.10	−0.19	2.99	−0.08	2.99	−0.08	2.70	0.21
20号	6.58	6.59	−0.01	6.82	−0.24	6.69	−0.11	6.23	0.35
21号	5.55	5.50	0.05	5.41	0.14	5.03	0.52	4.52	1.03
22号	4.70	4.31	0.39	4.25	0.45	3.14	1.56	2.70	2.00
23号	5.09	5.50	−0.41	5.72	−0.63	5.05	0.04	4.68	0.41
24号	2.62	2.72	−0.10	2.80	−0.18	2.87	−0.25	2.70	−0.08
25号	4.08	4.06	0.02	4.07	0.01	4.10	−0.02	3.79	0.29
26号	2.78	2.90	−0.12	2.97	−0.19	2.92	−0.14	2.70	0.08
27号	2.41	2.48	−0.07	2.39	0.02	2.56	−0.15	2.70	−0.29
28号	4.87	4.71	0.16	4.74	0.13	5.04	−0.17	5.01	−0.14
29号	3.48	3.50	−0.02	3.56	−0.08	3.62	−0.14	3.43	0.05
30号	2.71	2.84	−0.13	2.91	−0.20	2.94	−0.23	2.70	0.01
31号	3.43	3.49	−0.06	3.63	−0.20	3.32	0.11	3.55	−0.12

日期	彭曼法 计算值	式(3-7) 预报值	残差	式(3-8) 预报值	残差	式(3-9) 预报值	残差	式(3-10) 预报值	残差
8月1号	2.67	2.74	-0.07	2.84	-0.17	2.83	-0.16	2.70	-0.03
2号	5.29	5.02	0.27	4.99	0.30	5.23	0.06	4.98	0.31
3号	3.93	3.90	0.03	3.92	0.01	3.97	-0.04	3.67	0.26
4号	4.98	4.87	0.11	4.79	0.19	4.91	0.07	4.77	0.21
5号	2.62	2.70	-0.08	2.82	-0.20	2.88	-0.26	2.70	-0.08
6号	2.60	2.72	-0.12	2.92	-0.32	3.08	-0.48	2.70	-0.10
7号	2.81	3.01	-0.20	3.22	-0.41	3.25	-0.44	2.70	0.11
8号	5.94	5.66	0.28	5.62	0.32	5.81	0.13	5.56	0.38
9号	2.51	2.55	-0.04	2.50	0.01	2.59	-0.08	2.70	-0.19
10号	5.98	5.83	0.15	5.79	0.19	6.04	-0.06	6.02	-0.04
11号	4.78	4.63	0.15	4.66	0.12	4.92	-0.14	4.92	-0.14
12号	4.18	4.11	0.07	4.18	0.00	4.25	-0.07	4.16	0.02
13号	2.56	2.62	-0.06	2.56	0.00	2.65	-0.09	2.70	-0.14
14号	2.88	3.19	-0.31	3.06	-0.18	3.22	-0.34	2.70	0.18
15号	2.68	2.79	-0.11	2.95	-0.27	2.99	-0.31	2.70	-0.02
16号	3.43	3.38	0.05	3.53	-0.10	3.61	-0.18	3.52	-0.09
17号	3.43	3.42	0.01	3.39	0.04	3.50	-0.07	3.55	-0.12
18号	5.26	5.14	0.12	5.14	0.12	5.39	-0.13	5.44	-0.18
19号	3.78	3.71	0.07	3.83	-0.05	3.93	-0.15	3.83	-0.05
20号	2.65	2.76	-0.11	2.75	-0.10	2.85	-0.20	2.70	-0.05
21号	4.28	4.17	0.11	4.10	0.18	4.33	-0.05	3.76	0.52
22号	2.61	2.67	-0.06	2.83	-0.22	2.84	-0.23	2.70	-0.09
23号	3.92	3.83	0.09	3.93	-0.01	4.06	-0.14	3.76	0.16
24号	4.71	4.68	0.03	4.46	0.25	4.36	0.35	4.16	0.55
25号	2.69	2.71	-0.02	2.58	0.11	2.52	0.17	2.70	-0.01
26号	2.43	2.47	-0.04	2.60	-0.17	2.85	-0.42	2.70	-0.27
27号	5.29	5.06	0.23	5.08	0.21	5.24	0.05	4.98	0.31
28号	3.45	3.41	0.04	3.53	-0.08	3.58	-0.13	3.76	-0.31
29号	4.75	4.76	-0.01	4.78	-0.03	4.86	-0.11	4.95	-0.20
30号	5.10	5.18	-0.08	5.24	-0.14	5.29	-0.19	5.41	-0.31
31号	4.67	4.78	-0.11	4.85	-0.18	4.86	-0.19	5.07	-0.40

日期	彭曼法	式(3-7)		式(3-8)		式(3-9)		式(3-10)	
	计算值	预报值	残差	预报值	残差	预报值	残差	预报值	残差
9 月 1 号	3.25	3.15	0.10	3.25	0.00	3.29	-0.04	3.46	-0.21
2 号	2.42	2.28	0.14	2.45	-0.03	2.48	-0.06	2.70	-0.28
3 号	4.95	4.89	0.06	5.01	-0.06	5.02	-0.07	5.07	-0.12
4 号	4.52	4.48	0.04	4.50	0.02	4.47	0.05	4.56	-0.04
5 号	5.54	5.59	-0.05	5.61	-0.07	5.51	0.03	5.53	0.01
6 号	5.51	5.45	-0.04	5.50	-0.09	5.36	0.05	5.35	0.06
7 号	5.48	5.48	-0.00	5.55	-0.07	5.49	-0.01	5.47	0.01
8 号	2.94	2.95	-0.01	3.09	-0.15	2.80	0.14	2.70	0.24
9 号	5.39	5.27	0.12	5.25	0.14	5.29	0.10	5.25	0.14
10 号	4.35	4.26	0.09	4.24	0.11	4.24	0.11	4.19	0.16
11 号	5.15	5.21	-0.06	5.27	-0.12	5.18	-0.03	5.25	-0.10
12 号	4.97	5.03	-0.06	5.07	-0.10	4.95	0.02	5.07	-0.10
13 号	4.95	4.92	0.03	4.97	-0.02	4.93	0.02	4.98	-0.03
14 号	2.82	2.82	0.00	2.95	-0.13	2.77	0.05	2.70	0.12
15 号	3.47	3.43	0.04	3.37	0.10	3.37	0.10	3.64	-0.17
16 号	2.26	2.02	0.24	1.99	0.27	1.96	0.30	2.70	-0.44
17 号	2.33	2.15	0.18	2.17	0.16	2.18	0.15	2.70	-0.37
18 号	2.28	2.08	0.20	2.11	0.17	2.15	0.13	2.70	-0.42
19 号	2.37	2.47	-0.10	1.67	0.70	1.64	0.73	2.70	-0.33
20 号	2.53	2.22	0.31	2.27	0.26	1.78	0.75	2.70	-0.17
21 号	4.14	4.65	-0.51	4.69	-0.55	4.65	-0.51	5.65	-1.51
22 号	2.08	1.70	0.38	1.84	0.24	1.82	0.26	2.70	-0.62
23 号	4.15	4.38	-2.3	4.42	-0.27	4.52	-0.37	5.29	-1.14
24 号	2.43	2.22	0.21	2.36	0.07	2.18	0.25	2.70	-0.27
25 号	2.51	2.33	0.18	2.43	0.08	2.27	0.24	2.70	-0.19
26 号	5.12	5.37	-0.25	5.41	-0.29	5.24	-0.12	5.35	-0.41
27 号	4.84	5.19	-0.35	5.26	-0.42	5.02	-0.18	5.44	-0.60
28 号	4.63	4.89	-0.26	4.88	-0.25	4.72	-0.09	5.19	-0.56
29 号	4.62	4.81	-0.19	4.83	-0.21	4.71	-0.09	5.10	-0.48
30 号	3.88	3.99	-0.11	3.94	-0.06	4.19	-0.31	4.98	-1.10

3.2.3 作物系数 K_c 值的确定

作物系数 K_c 是作物蒸发蒸腾量 ET_c 与对照作物蒸发蒸腾量 ET_0 的比值,即 $K_c = ET_c/ET_0$。其值的大小与作物种类和生育阶段等有关。一般可根据作物田间需水量的试验数据来推求,或查有关地区作物系数表(如表 3-4)。也有人通过田间试验观察,

表 3-4　北方几种主要作物的作物系数 K_c 值[6,132]

作物	地点	10 月	11 月	12 月	1 月	2 月	3 月
冬小麦	河北蒿城	0.56	0.56	0.20	0.20	0.20	0.93
	关中东部	1.18	1.74	1.68	1.67	1.12	1.21
	河南郑州	0.60	0.90	0.97	0.31	1.04	0.96
夏玉米	关中东部						
	河北蒿城						
	河南离县						
棉花	河南郑州	0.55					
	河北蒿城	0.78					
	关中东部	1.60					
油菜	陕西扶风	1.206	1.282	1.605	1.248	0.941	1.255
大豆	辽宁昌图						
	内蒙古三盟						

作物	地点	4 月	5 月	6 月	7 月	8 月	9 月	全生育期
冬小麦	河北蒿城	1.69	1.12	1.08				0.88
	关中东部	1.21	1.05					1.19
	河南郑州	1.43	1.33	0.65				1.00
夏玉米	关中东部			0.507	0.995	1.394	1.865	1.02
	河北蒿城			0.65	0.84	0.94	1.34	0.89
	河南离县			0.47	1.13	1.67	1.32	0.99
棉花	河南郑州	0.69	0.69	0.72	1.23	1.23	0.55	0.87
	河北蒿城	0.38	0.38	0.53	1.00	1.07	1.28	0.73
	关中东部	0.66	0.60	0.77	1.16	1.44	1.59	0.96
油菜	陕西扶风	1.113	0.810	0.700			1.301	1.183
大豆	辽宁昌图	0.14	0.463	0.576	1.09	0.98	0.73	0.711
	内蒙古三盟		0.311	0.581	1.282	1.070	0.71	0.783

认为作物系数 K_c 与作物叶面积指数(LAI)有关,即

$$K_c = aLAI + b \qquad (3-11)$$

其中 a、b 为经验系数。根据西北农业大学灌溉试验站资料分析,该站冬小麦的 a、b 值分别为 0.22 和 0.18(如表 3-5)。

表 3-5 作物系数与叶面积指数的关系[6,132]

作 物	站 名	作物系数 K_c 与叶面积指数 LAI 的关系	相关系数
冬小麦	西北农业大学灌溉站	$K_c = 0.18 + 0.22LAI$	0.913
	陕西扶风站	$K_c = 0.19 + 0.21LAI$	0.924
	甘肃武威站	$K_c = 0.14 + 0.19LAI$	0.942
	河南新乡站	$K_c = 0.24 + 0.15LAI$	0.955
水 稻	湖北漳河站	$K_c = 0.85 + 0.10LAI$	0.87

根据西北农业大学灌溉试验站 1998 年 6 月至 1999 年 6 月对夏玉米、冬小麦生长期大于 15℃ 的积温与 K_c 值的非线性回归分析,发现夏玉米拟合得相当紧密,回归系数 $R = 0.998$;而冬小麦 $R = 0.854$,均可满足生产实际要求。

夏玉米: $K_c = 1.022 - 25.42x + 861.61x^2 - 5964.78x^3$ (3-12)

$$(R = 0.998)$$

冬小麦: $K_c = 1.349 - 1.496x + 176.073x^2 - 4377.46x^3$ (3-13)

$$(R = 0.854)$$

其中 x 分别为夏玉米与冬小麦生长期大于 15℃ 的积温 DD 除以 10 000,即

$$x \doteq DD/10\ 000$$

3.2.4 土壤水分修正系数 K_θ

当干旱缺水时,土壤含水量降低,土壤中毛管传导率减小,根系吸水率降低,作物遭受水分胁迫,引起气孔阻力增大,从而导致胁迫条件下的作物蒸发蒸腾速率低于无水分胁迫时的蒸发蒸腾速

率。因此,水分胁迫条件下土壤水分的修正系数 K_θ 有以下 2 种计算方法:

$$K_\theta = \ln\left[\left(\frac{\theta_0 - \theta_{wp}}{\theta_j - \theta_{wp}} + 1\right)\right]\Big/\ln(101) \qquad (3\text{-}14)$$

$$或 \quad K_\theta = c\left[\frac{\theta_0 - \theta_{wp}}{\theta_j - \theta_{wp}}\right]^d \qquad (3\text{-}15)$$

式中　θ_0——计算时段内作物根系活动层内的平均土壤含水量;

　　　θ_{wp}——凋萎系数;

　　　θ_j——作物蒸发蒸腾开始受影响时的临界土壤含水量。

式(3-15)中,c、d 是由实测资料确定的经验系数,它们随生育阶段和土壤条件而变化,如表 3-6。

表 3-6　作物不同生育阶段土壤水分修正系数中的 c、d 值[6,132]

作物	站名	参数 c、d	生育阶段			
			I	II	III	IV
冬小麦	西北农业大学灌溉站	c	1.003	0.951	0.966	0.978
		d	0.781	1.513	0.351	0.958
	山西临汾站	c	0.957	0.936	0.977	0.990
		d	0.669	1.161	0.892	0.696
春小麦	甘肃武威站	c	1.008	1.082	0.986	0.974
		d	0.695	0.642	0.789	0.682
	陕西榆林站	c	0.992	0.986	1.028	0.964
		d	0.741	0.707	0.736	0.663

3.2.5　确定地下水补给量 G_e

地下水补给量 G_e 与作物蒸发蒸腾量 ET_c、土壤特性及地下水埋深 GWD 有关。一般多根据当地的实际资料得出回归经验公式。如陕西洛惠渠的经验公式为

$$G_e = Q \cdot ET_c \qquad (\text{mm/d}) \qquad (3\text{-}16)$$

$$Q = B - 0.15GWD$$

式中 ET_c——作物蒸发蒸腾量,mm/d;

　　　B——地下水补给系数,与作物类型、土壤特性及地下水埋深有关,可查表 3-7;

　　　GWD——地下水埋深,m。

表 3-7　　　　　　　　　　地下水补给系数 B 值

作　物	土壤类型		
	砂壤土	中壤土	黏壤土
冬小麦	0.4	0.5	0.6
夏玉米	0.3	0.4	0.5
棉　花	0.3	0.4	0.5

　　也有人总结出华北地区的经验公式:

$$G_e = [a - b\log(GWD)] \cdot t/T \tag{3-17}$$

式中 a、b——经验系数,与土壤、作物特性有关;

　　　t——作物某生育阶段或计算时段的天数;

　　　T——某作物生育期总天数;

　　　其余符号意义同前。

3.2.6　确定有效降雨量 P_e

　　有效降雨量 P_e[103,106,132,134]是指某次降雨能渗入作物根系层中,而后作物能有效利用的那部分降雨量,即

$$P_e = P - R - D \tag{3-18}$$

式中 P——某次降雨的降雨总量,mm;

　　　R——地面径流量,mm;

　　　D——深层渗漏量,mm。

　　有效降雨量的大小,不仅与降雨特性,即降雨强度 I、降雨历时 t_r、降雨总量 P 有关,而且还与土壤特性,即土壤的质地、土壤的初始含水量、土壤渗吸速度 K_t 及地下水埋深、作物植被、根系

层深度等因子有关,呈现出十分复杂的动态变化过程。

根据土壤入渗实验资料,可得知土壤入渗速度 K_t 与入渗时间的变化规律为幂函数曲线:

$$K_t = f(t) = \frac{1}{2} S t_r^{-\frac{1}{2}} + A$$

式中　　S——土壤吸水率,为一常数;

　　　　A——土壤稳定入渗率,当入渗历时足够长时,A 趋近于饱和土壤导水率。

当土壤入渗速率 K_t 等于降雨强度 I 时,即

$$\frac{1}{2} S t_r^{-\frac{1}{2}} + A = I$$

则可求出 $K_t = I$ 时的入渗时间为

$$t_0 = \frac{S^2}{4(I - A)^2}$$

从而可知,降雨造成的地面径流量为

$$R = \begin{cases} 0 & (t_r \leqslant t_0) \\ (I - A) \cdot t_r - S t_r^{\frac{1}{2}} & (t_r > t_0) \end{cases}$$

式中　　t_r——降雨历时,h;

　　　　其余符号意义同前。

证明:　　$R = I \cdot t_r - \int_0^{t_r} \left[\frac{1}{2} S t_r^{-\frac{1}{2}} + A \right] \mathrm{d}t$

$$= I \cdot t_r - S t_r^{\frac{1}{2}} - A t_r$$

$$= (I - A) t_r - S t_r^{\frac{1}{2}}$$

整个降雨期间 t_r 的土壤入渗量为

$$V = I \cdot t_r - R$$

或　　$V = \begin{cases} I \cdot t_r & (t_r \leqslant t_0) \\ A \cdot t_r + S t_r^{\frac{1}{2}} & (t_r > t_0) \end{cases}$

$$V = I \cdot t_r - R$$
$$= I \cdot t_r - (I - A)t_r + St_r^{\frac{1}{2}} \quad (t_r > t_0)$$

式中 V——降雨土壤入渗量，mm；

I——降雨强度，mm/h；

R——降雨地面径流量，mm；

t_r——降雨历时，h；

其余符号意义同前。

而降雨前夕，作物根系层中能够贮存的最大有效降雨量 P_e^* 为

$$P_e^* = 10Hr(\theta_{FC} - \theta_0) + t(ET_c - G_e) \quad (mm) \quad (3\text{-}19)$$

式中 H——作物根系活动层深度，m；

r——土壤干容重，t/m^3；

θ_{FC}、θ_0——土壤田间持水率与初始含水量，以占干土重的百分数计；

t——预报未来降雨的间隔天数，d；

ET_c——作物蒸发蒸腾量，mm/d；

G_e——预报的地下水有效补给量，mm/d。

因而，当 $V > P_e^*$，则 $P_e = P_e^*$；深层渗漏量 $D = V - P_e^*$。反之，若 $V \leqslant P_e^*$，则 $P_e = V$；$D = 0$。

若既无土壤特性资料，又无降雨特性资料，只有降雨总量资料，则可用当地有效降雨系数 σ 来求有效降雨量：

$$P_e = P \cdot \sigma \quad (3\text{-}20)$$

式中 P_e——某次降雨的有效降雨量，mm；

P——某次降雨的降雨总量，mm；

σ——某次降雨的有效降雨系数，其值与降雨总量的大小有关。可根据各地的实际资料推算。

一般取值： $P < 3 \sim 5$ $\sigma = 0$

$$(3\sim5)<P<50 \qquad \sigma=1.0$$
$$50<P<100 \qquad \sigma=1.0\sim0.8 \qquad (3-21)$$
$$100<P<150 \qquad \sigma=0.8\sim0.7$$
$$P>150 \qquad \sigma=0.7$$

3.2.7 确定土壤有效储水量 ASW

$$ASW = 10H \cdot r(\theta_0 - \theta_{FC} \cdot G_x/100) \quad (mm) \quad (3-22)$$

式中　H——作物根系活动层深度,m;

r——土壤干容重,t/m^3;

θ_{FC}、θ_0——土壤田间持水率与初始含水量,以占干土重的百分数计;

G_x——作物适宜灌溉的土壤水分下限指标,以占田间持水率的百分数计,其值的确定与作物类型及作物生长阶段有关(可参照表3-8)。

表 3-8　几种主要作物节水灌溉的土壤水分上、下限控制指标[121~125]

（占田间持水率的%）

作 物		冬 小 麦					
生长阶段		播种—越冬	越冬—返青	返青—拔节	拔节—抽穗	抽穗—灌浆	灌浆—成熟
土壤水分	上限	95	95	85	100	100	80
	下限	65	70	60	70	65	55
作 物		夏 玉 米					
生长阶段		播种—出苗	出苗—拔节	拔节—抽穗	抽穗—灌浆	灌浆—成熟	
土壤水分	上限	95	85	100	95	90	
	下限	75	60	70	65	55~60	
作 物		棉 花					
生长阶段		苗期	蕾期	花铃期	吐絮期		
土壤水分	上限	85	90	100	85		
	下限	55	65	70	55		

3.3 田间作物节水灌溉决策

对某一区域或某一田块的作物作出节水灌溉决策,即确定该作物该不该灌水,何时灌水,灌多少水,本次灌水的灌水成本及相应的灌溉效益(或者说本次不灌水可能造成的经济损失)。这些参数十分有利于农民作出灌水抉择。当然,在决策的同时,还必须考虑灌溉水源的来水情况及渠系配水状况,这些将在第四章中予以阐述。

在进行某作物的节水灌溉决策时,除前面章节已阐述过的要看土壤含水量是否达到作物适宜生长的下限指标,要注意天气预报以及作物生长所处的生育阶段是否属于适宜调亏的阶段,以人为施加一定的水分胁迫,来改善作物品质和提高水的利用效率外,最终的决策将取决于经济学中的边际概念与经济效果原理,即边际收益必须大于边际资源成本,否则边际利润为负值,就会降低经济效益。所谓的边际收益,为农产品单价 P_y 乘以边际产品,即边际投入 Δx 所对应增加的产量 Δy,表示为 $P_y \cdot \Delta y$,称边际产值。而边际资源成本则为投入资源的单价 P_x(例如水费单价)乘以边际投入,即农业生产过程中新增单位的资源投入 Δx,$P_x \cdot \Delta x$。

在具体灌溉决策中,如果本次灌水费用小于灌溉的增产效益,从经济角度讲,只要水源条件许可,则应实施该次灌水。另从节水灌溉的角度讲,若限额灌溉或调亏灌溉的效益费用比($B_2/cost_2$)大于充分灌溉的效益费用比($B_1/cost_1$),则建议采用限额灌溉或调亏灌溉的决策方案。

节水灌溉决策计算包括以下主要项目:

(1)计算充分灌溉的灌水定额:

$$M_1 = 100H \cdot r(\theta_{FC} - \theta_0) \qquad (\text{m}^3/\text{hm}^2) \qquad (3-23)$$

(2)计算限额灌溉的灌水定额:

$$M_2 = 100H \cdot r(K\theta_{FC} - \theta_0) \qquad (\text{m}^3/\text{hm}^2) \qquad (3-24)$$

式中 K——非充分灌溉条件下灌水上限系数(以田间持水率的%计);

其余符号意义同前。

(3)计算灌水边际成本:

$$cost_1 = SF \cdot M_1 / (\eta_\text{田} \cdot \eta_\text{斗}) \quad (\text{元}/\text{hm}^2) \tag{3-25}$$

$$cost_2 = SF \cdot M_2 / (\eta_\text{田} \cdot \eta_\text{斗}) \quad (\text{元}/\text{hm}^2) \tag{3-26}$$

式中 $cost_1$——充分灌溉单位面积边际供水成本,元/hm²;

SF——斗口水价(或斗口水费单价),元/m³;

$\eta_\text{田}$、$\eta_\text{斗}$——田间水及斗渠系水的利用系数;

$cost_2$——非充分灌溉单位面积边际供水成本,元/hm²。

(4)计算灌水或不灌水的边际效益。对半干旱缺水灌区来说,灌溉引水量往往不足,不能保证全部灌溉面积都能得到充分灌溉,必须实行一部分面积不灌溉,另一部分面积非充分灌溉,从而造成同一种作物因不同灌水策略而出现不同的减产损失。为此,可根据作物产量与作物各生育阶段相对蒸发蒸腾量的关系,来推算本次灌水中充分灌、非充分灌及不灌对作物产量的影响。

采用 Jensen 相乘模型推算作物产量:

$$Y_a = Y_m \prod_{i=1}^{n} \left[\frac{ET_i}{ET_{mi}} \right]^{\lambda_i} \tag{3-27}$$

式中 Y_a, Y_m——某作物实际产量与潜在产量,kg/hm²;

ET_i, ET_{mi}——第 i 阶段作物实际蒸发蒸腾量与潜在的蒸发蒸腾量,m³/hm²;

λ_i——第 i 阶段缺水对产量影响的敏感指数;

n——某作物全生育期划分的生育阶段数。

设本次灌水作物处在 k 生育阶段,并假定此阶段及后续各阶段均充分灌溉,由此可得 $ET_k \approx ET_{mk}$,$ET_{k+1} \approx ET_{mk+1}$,……根据农田水量平衡原理,有

$$ET_k = M_k + P_k + G_k + SW_k \qquad (3\text{-}28)$$

式中　M_k——k 阶段充分灌溉的灌水定额,$\mathrm{m^3/hm^2}$;

　　　P_k——k 阶段有效降雨量,$\mathrm{m^3/hm^2}$;

　　　G_k——k 阶段地下水补给量,$\mathrm{m^3/hm^2}$;

　　　SW_k——k 阶段作物根系活动层土壤储水量的变化值,

　　　　　　　$\mathrm{m^3/hm^2}$;

　　　ET_k——k 阶段作物需水量或蒸发蒸腾量,$\mathrm{m^3/hm^2}$。

根据上述假定,可推算出此作物相应的预计产量 Y_k 为

$$Y_k = Y_m \prod_{i=1}^{k-1} \left[\frac{ET_i}{ET_{mi}} \right]^{\lambda_i} \qquad (3\text{-}29)$$

同理,若假定 k 阶段为非充分灌溉,而后续各阶段仍充分灌溉,则可推算出在此条件下作物的预计产量 Y'_k 为

$$Y'_k = Y_m \prod_{i=1}^{k-1} \left[\frac{ET_i}{ET_{mi}} \right]^{\lambda_i} \left[\frac{ET'_k}{ET_{mk}} \right]^{\lambda_k} \qquad (3\text{-}30)$$

其中:$ET'_k = M'_k + P_k + G_k + SW_k$,$M'_k$ 为 k 阶段非充分灌溉的灌水定额,$\mathrm{m^3/hm^2}$。

若假定 k 阶段不灌水,而后续各阶段仍充分灌溉,则又可推算出相应的预计产量,即

$$Y''_k = Y_m \prod_{i=1}^{k-1} \left[\frac{ET_i}{ET_{mi}} \right]^{\lambda_i} \left[\frac{ET''_k}{ET_{mk}} \right]^{\lambda_k} \qquad (3\text{-}31)$$

其中:$ET''_k = P_k + G_k + SW_k$。

将式(3-29)减去式(3-31),可得 k 阶段充分灌溉条件下作物的灌溉增产量 ΔY_1,为

$$\Delta Y_1 = Y_k - Y''_k = Y_m \prod_{i=1}^{k-1} \left[\frac{ET_i}{ET_{mi}} \right]^{\lambda_i} \left\{ 1 - \left[\frac{ET''_k}{ET_{mk}} \right]^{\lambda_k} \right\}$$

$$(3\text{-}32)$$

将式(3-30)减去式(3-31),可得 k 阶段非充分灌溉条件下其

相应的灌溉增产量 ΔY_2，为

$$\Delta Y_2 = Y'_k - Y''_k = Y_m \prod_{i=1}^{k-1}\left[\frac{ET_i}{ET_{mk}}\right]^{\lambda_i}\left\{\left[\frac{ET'_k}{ET_{mk}}\right]^{\lambda_k} - \left[\frac{ET''_k}{ET_{mk}}\right]^{\lambda_k}\right\}$$

(3-33)

由于在 k 阶段灌水时，以前各阶段实际的灌水情况（或缺水状况）是已知的，并且已在式 $\prod_{i=1}^{k-1}\left[\frac{ET_i}{ET_{mi}}\right]^{\lambda_i}$ 中反映出来，因此可令：

$$P_E = Y_m \prod_{i=1}^{k-1}\left[\frac{ET_i}{ET_{mi}}\right]^{\lambda_i}$$

(3-34)

P_E 为一已知值，式(3-32)和式(3-33)可简化为

$$\Delta Y_1 = P_E\left\{1 - \left[\frac{ET''_k}{ET_{mk}}\right]^{\lambda_k}\right\}$$

(3-35)

$$\Delta Y_2 = P_E\left\{\left[\frac{ET'_k}{ET_{mk}}\right]^{\lambda_k} - \left[\frac{ET''_k}{ET_{mk}}\right]^{\lambda_k}\right\}$$

(3-36)

将各作物本次不同灌水方式(指充分灌、非充分灌)的增产量乘以其相应的产品单价，即可得各作物相应的灌溉增产值，即

$$B_1 = P_y \cdot \Delta y_1$$

(3-37)

$$B_2 = P_y \cdot \Delta y_2$$

(3-38)

(5)选择节水灌溉决策方案。根据式(3-5)，可确定预计的灌水间隔天数。该不该灌这次水，主要取决于本次灌水的边际供水成本 $cost_1$、$cost_2$ 和边际供水效益 B_1、B_2。若 $B_1 > cost_1$ 或 $B_2 > cost_2$，从经济角度讲，应当实施本次灌溉。但到底采用哪一种供水方式，在水源水量不受限制的条件下，若 $B_2/cost_2 > B_1/cost_1$，则应当实施非充分灌溉的灌水策略；反之，则应实施充分灌溉的灌水策略[7,112]。

3.4　几种主要作物的节水灌溉制度

在水资源有限的干旱缺水地区，可利用的灌溉水量往往不能

满足全部灌溉面积充分灌水的要求。此时,不能追求单位面积产量最高,而应根据作物产量与蒸发蒸腾量的关系,以获得全灌区最大农业增产效益为原则,来制定作物的灌溉制度(如表 3-9、表 3-10、表 3-11)。该灌溉制度即为非充分灌溉制度,又称经济灌溉制度。它允许作物在某一阶段遭受一定程度的水分亏缺,产量略低于正常灌溉条件下的水平,以节约灌溉用水量,扩大实际的灌溉面积,切实提高灌溉水的有效利用率,并使灌区农业生产的总经济效益达到最大[7]。

表 3-9　　　　陕西关中中部冬小麦经济灌溉制度

| 地点 | 水文年份 | 各生育阶段的灌水定额(m³/hm²) | | | | | | 灌水次数 | 灌溉定额(m³/hm²) |
		分蘖(冬灌)	返青	拔节	抽穗	灌浆	乳熟		
陕西关中中部	湿润年	750						1	750
	一般年	750		600				2	1 350
	干旱年	750		600		600		3	1 950

表 3-10　　　　陕西关中中部夏玉米经济灌溉制度

| 地点 | 水文年份 | 各生育阶段的灌水定额(m³/hm²) | | | | | 灌水次数 | 灌溉定额(m³/hm²) |
		播种	拔节	孕穗	穗花	乳熟		
陕西关中中部	湿润年				600		1	600
	一般年			600	600		2	1 200
	干旱年		600	600	600		3	1 800

表 3-11　　　　陕西关中中部棉花经济灌溉制度

| 地点 | 水文年份 | 各生育阶段的灌水定额(m³/hm²) | | | | 灌水次数 | 灌溉定额(m³/hm²) |
		播前	现蕾	花铃	吐絮		
陕西关中中部	湿润年	750				1	750
	一般年	750				1	750
	干旱年	750	600			2	1 350

3.5 灌溉预报与决策专家系统的知识表示

由本章以上各节的内容可知,灌溉预报与决策所包含的知识较为广泛,有许多是属于建议性、描述性的知识。而且这些知识又往往与逻辑性、过程性、运算性知识相互混合、交织在一起运用。例如,灌溉预报的基本原理,其实质是农田的水量平衡方程。通过计算来水(有效降雨量 P_e、地下水有效补给量 G_e 及土壤有效储水量 ASW)及去水(作物蒸发蒸腾量 ET_c)的各项参数,来确定灌水的间隔天数。而作物蒸发蒸腾量 ET_c 的获得又要经过复杂的计算过程。如首先依据气象预报参数(气温、日照、风速、相对湿度),采用彭曼公式计算出 ET_0 值,然后依据作物类型、生育阶段来选择作物系数 K_c 等,最后才能确定 ET_c 值。对于灌溉决策,要通过投入与产出的边际分析来确定灌溉方案。既有描述性知识,又有逻辑性、运算性知识。为此,采用由描述框架、"规则架 + 规则体"的规则组库和黑板 3 部分组成的综合知识体结构的知识表示方法。

框架库在结构上类似于传统的框架形式,它的结构形式为:

提问集

END(结束标志符)

框架集

状态槽

处理槽

END(标志符)

对于逻辑性、过程性、运算性知识,宜采用"规则架 + 规则体"的规则组库的知识表示技术。描述框架可调用规则组库,即在需转向的处理槽,设置一个无处理侧面的处理槽名,此槽名便是规则组库的文件名。在描述框架中,可自动调用规则组库执行。如灌溉决策计算规则组库的结构形式为:

DEFINES （宏定义）
    ⋮
  END （结束标志符）
FUNCTION （规则组名　功能集）
  END （结束标志符）
MODE A THEN B （规则组集）
  MATH END ＿ TMP
    ⋮
  END ＿ KB

3.5.1　框架库

下面以灌溉预报与决策专家系统框架库结构为例,来加以说明。

/＊提问集＊/
灌溉预报与决策＝(灌溉预报原理,灌溉决策,灌溉制度)
灌溉决策＝(灌溉决策计算,决策方案比较)
灌溉制度＝(小麦、玉米、油菜、棉花、苹果)
END
FRAME1　节水灌溉　/＊框架1＊/
STATE 灌溉预报与决策
IF 灌溉预报与决策＝灌溉预报原理　　　THEN GGYB
IF 灌溉预报与决策＝灌溉决策　　　　　THEN GGJC
IF 灌溉预报与决策＝灌溉制度　　　　　THEN GGZD

PROCESS GGYB　/＊处理槽＊/
    ADVICE(略)
PROCESS GGJC　/＊去子框架2＊/
PROCESS GGZD　/＊去子框架3＊/

FRAME2 GGJC　/＊子框架2＊/

STATE 灌溉决策

IF 灌溉决策 = 灌溉决策计算　　THEN GGJCJS

IF 灌溉决策 = 决策方案比较　　THEN JCFABJ

PROCESS GGJCJS　/＊去规则组库＊/

PROCESS JCFABJ

　　ADVICE(略)

FRAME3 GGZD　/＊子框架3＊/

STATE 灌溉制度

IF 灌溉制度 = 小麦 THEN WHEAT

IF 灌溉制度 = 玉米 THEN MAIZE

IF 灌溉制度 = 油菜 THEN RAPE

IF 灌溉制度 = 棉花 THEN COTTON

IF 灌溉制度 = 苹果 THEN APPLE

PROCESS WHEAT

ADVICE 以陕西关中中部冬小麦灌溉为例(略)

PROCESS MAIZE

ADVICE 以陕西关中中部夏玉米灌溉为例(略)

PROCESS RAPE

ADVICE 以陕西关中中部油菜灌溉为例(略)

PROCESS COTTON

ADVICE 以陕西关中中部棉花灌溉为例(略)

PROCESS APPLE

ADVICE 以陕西关中中部苹果灌溉为例(略)

END

3.5.2　规则组库

现以灌溉预报与节水灌溉决策专家系统中计算对照作物 ET_0 值的规则组库结构为例进行介绍。

DEFINES　　/＊宏代换＊/

ALT 测点海拔高度(m)

N_2 最大可能日照时数(h)

ET_0 参考作物蒸发蒸腾量(mm/d)

U_2 折算成 2m 高处风速(m/s)

U 气象站标准高度(10m)风速(m/s)

LAT 测点纬度(度)

A 温度与饱和水汽压关系曲线上的切线斜率(KPA/C)

TEM 日平均气温(℃)

RH 日平均相对湿度(%)

T_{max} 日最高气温(℃)

T_{min} 日最低气温(℃)

N_1 实际日照时数(h)

γ 湿度计常数(kPa/C)

RR 赤纬或叫日倾角(rad)

E_a 饱和水汽压(kPa)

E_d 实际水汽压(kPa)

R_n 太阳净辐射(mm)

WS 日出时角(rad)

R_{nl} 太阳长波辐射量(mm)

DR 日地相对距离

R_{ns} 太阳短波辐射量(mm)

P 气压修正项目

S 水的汽化潜热(J/g)

R_a 大气顶部太阳辐射(mm)

MON 计算的月份(m)

E 干燥力

END

FUNCTION1 GGJCJS ET_0 /＊决策显示变量＊/
END

MODE3 P A V R_n E THEN ET_0

　　MATH END ＿ TMP

$ET_0 = (P * A/V * R_n + E)/(P * A/V + 1)$；

MODE5 ALT TEM THEN P

　　MATH END ＿ TMP

$P = 10^\wedge(ALT/(18400 * (1 + TEM/273)))$；

MODE7 TEM THEN E_a

　　MATH END ＿ TMP

　　IF TEM＞0 THEN $E_a = 6.11 * 10^\wedge(7.63 * TEM/(TEM + 241.9))$；

　　IF TEM＜ ＝ 0 THEN $E_a = 6.11 * 10^\wedge(9.5 * TEM/(TEM + 265.5))$；

　　MODE10 TEM THEN A

　　MATH END ＿ TMP

　　IF TEM＞0 THEN

$A = (25966.89/(TEM + 241.9)^\wedge2) * 10^\wedge(7.63 * TEM/(241.9 + TEM))$；

　　IF TEM＜ ＝0 THEN

$A = (35485.05/(TEM + 265.5)^\wedge2) * 10^\wedge(9.5 * TEM/(265.5 + TEM))$；

　　MODE12 E_a RH THEN E_d

　　MATH END ＿ TMP

　　　$E_d = E_a * RH/100$；

　　MODE15 MON THEN JRX

MATH END __ TMP

$JRX = 30.4 * MON - 15.2;$

MODE18 MON THEN DR

MATH END __ TMP

IF MON = 1 THEN DR = 0.984;

IF MON = 2 THEN DR = 0.988;

IF MON = 3 THEN DR = 0.995;

IF MON = 4 THEN DR = 1.003;

IF MON = 5 THEN DR = 1.010;

IF MON = 6 THEN DR = 1.016;

IF MON = 7 THEN DR = 1.016;

IF MON = 8 THEN DR = 1.013;

IF MON = 9 THEN DR = 1.005;

IF MON = 10 THEN DR = 0.997;

IF MON = 11 THEN DR = 0.989;

IF MON = 12 THEN DR = 0.984;

MODE20 JRX THEN RR

MATH END __ TMP

$RR = 23.5 * SIN((0.986 * JRX - 78.9) * 0.01745);$

MODE22 LAT RR THEN X

MATH END __ TMP

$X = SQR(SIN((90.57 + LAT - RR)/2 * 0.01745) * SIN((90.57 - LAT + RR)/2 * 0.01745)/(COS(0.01745 * LAT) * COS(0.01745 * RR)));$

MODE25 X THEN N_2

MATH END __ TMP

$N_2 = (4/15) * 57.296 * ATN(X/SQR(1 - X^2));$

MODE28 N_2 THEN WS

MATH END __ TMP

WS = 7.5 * N_2;

MODE30 TEM THEN S

MATH END __ TMP

S = 2498.9 - 2.33 * TEM;

MODE33 DR S WS LAT RR THEN R_a

MATH END __ TMP

R_a = 1367 * 86.4/(DR^2 * S) * 0.01745 * SIN(0.01745 * LAT) * SIN(0.01745 * RR) + COS(0.01745 * LAT) * COS (0.01745 * RR) * SIN(0.01745 * WS);

MODE34 N_1 N_2 R_a THEN R_{ns}

MATH END __ TMP

R_{ns} = 0.75 * (0.2048 + 0.4325 * N_1/N_2) * R_a;

MODE36 TEM THEN V

MATH END __ TMP

V = 0.6455 + 0.00064 * TEM;

MODE38 U THEN U_2

MATH END __ TMP

U_2 = 7.5 * U;

MODE40 TEM E_d N_1 N_2 THEN R_{nl}

MATH END __ TMP

R_{nl} = 2.01 * 10^(-9) * (TEM + 273.16)^4 * (0.56 - 0.079 * SQR(E_d)) * (0.1 + 0.9 * N_1/N_2);

MODE42 R_{ns} R_{nl} THEN R_n

MATH END __ TMP

R_n = R_{ns} - R_{nl};

MODE44 T_{max} T_{min} TEHN C

MATH END __ TMP

IF $T_{max} - T_{min} >= 12$, $T_{min} >= 5$ THEN $C = 0.07 * (T_{max} - T_{min}) - 0.256$;

IF $T_{max} - T_{min} < 12$ THEN $C = 0.54$;

IF $T_{min} < 5$ THEN $C = 0.54$;

MODE46 E_a E_d U_2 C THEN E

MATH END __ TMP

$E = 0.26 * (E_a - E_d) * (1 + C * U_2)$;

MODE48 TEM RH U_2 N_1 THEN ET_0

MATH END __ TMP

$ET_0 = 2.1 + 0.093 * TEM - 0.022 * RH + 0.311 * U_2 + 0.279 * N_1$;

MODE50 TEM RH N_1 THEN ET_0

MATH END __ TMP

$ET_0 = 2.8214 + 0.916 * TEM - 0.0268 * RH + 0.2655 * N_1$;

MODE 52 TEM N_1 THEN ET_0

$ET_0 = 0.4293 + 0.1025 * TEM + 0.2988 * N_1$;

MODE54 N_1 THEN ET_0

$ET_0 = 2.6993 + 0.3042 * N_1$;

END __ KB

3.5.3　黑板结构

黑板结构是系统的公共信息区,或者说是系统中各个模块的通讯枢纽,包括数据、状态和推理结论黑板。数据黑板记录用户输入的信息和中间信息,状态黑板记录当前知识源的有关状态,结论黑板中保存推理的结果(如图 3-1)。

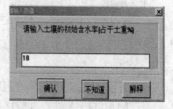

图 3-1

采用综合知识体的知识表示方法,是以描述框架为主体,控制着各种知识的运作。它能有效地表达集逻辑性、过程性、运算性、描述性知识为一体的对象。应用它来建造节水灌溉管理与决策的专家系统甚为方便,也是可行的[88,107~109]。

第四章 灌区计划用水与水量调配决策管理系统

4.1 概　述

　　计划用水是灌区用水管理的中心环节,也是灌区提高灌溉用水管理水平,充分发挥农田水利工程效益的重要措施。《中华人民共和国水法》中明确规定:"实行计划用水,厉行节约用水"。所谓计划用水,从农业角度讲,就是按照作物的需水要求和灌溉水源的供水情况,结合农业生产条件与渠系的工程状况,有计划地引水、蓄水、配水和灌水,以适时、适量地调节土壤水分,满足作物高产稳产的需求,在实践中不断提高单位水量的增产效益。

　　实行计划用水,首先在用水前,要根据灌区气象、土壤与作物生长状况,估算出作物田间需水量;并依据灌区的渠系分布,逐级推算出灌溉需水量。同时还需考虑河源的来水状况和水利工程的引水条件,确定出灌溉可供水量。通过供需水量的平衡分析,编制出灌区各级的用水计划。在具体贯彻、实施用水计划过程中,还须视当地实际的气候条件、土壤墒情、作物生长状况以及渠系的工程条件,认真灵活地做好全渠系水量的优化调配,并应依据实际情况及时修正用水计划。在阶段用水结束后,还需进行计划用水总结,及时算清水账,为今后更好地推行计划用水工作总结经验,积累资料。

　　目前,我国各灌区一般多采用手工计算来编制用水计划,进行渠系水量调配和计划用水总结。由于编制用水计划涉及到许多预报因子,因而计算工作量大,耗费时间长。特别是在我国北方半干旱半湿润地区,由于气象因子较不稳定,降雨量年变差较大,年内雨量的分布也很不均匀,经常出现旱、涝年份或季节,有时还旱涝交错,河源的来水量及灌区的用水量均不够稳定,且灌水时间也随不同水文年份而变化。这些都使得预先编制的用水计划与后来的实际情况往往有较大出入,如果不及时修正,原订计划就会变成一纸空文。采用手工编制,一般不可能及时地对用水计划作出修正,往往只能凭灌溉管理人员的经验及主观判断来进行水量的调配决策。这不可避免地会引起用水管理中的种种问题,不仅给用水计划的具体实施造成麻烦,而且还会造成灌溉水量的损失与浪费。

为了加强灌区的计划用水管理,必须进行科学用水、节约用水,不断提高灌区用水管理的水平,逐步实现灌区用水管理现代化。特别是我国北方广大地区,灌溉水资源严重不足,必须切实贯彻实施节水型灌溉农业。为此,我们利用微机技术,开发出通用的灌区计划用水与水量调配决策管理系统。这一系统主要是根据我国北方地区,特别是黄河中、下游自流引水灌区的用水管理经验研究开发的,同时吸取了近几年来我国在农业节水灌溉方面的最新研究成果及基本理论,且紧密结合灌区用水管理的生产实际。整套系统不仅可快速、准确地为灌区管理机构编制年度轮廓用水计划、各灌季全渠系用水计划,而且可供基层管理站,甚至配水斗编制干支渠段或用水单位的用水计划。同时还可根据河源来水或农业气象的随机变化,迅速作出渠系的配水决策和动态用水计划,以具体指导灌区实际的引水、配水工作。一旦灌溉水源的来水量不足,供需矛盾突出时,还可根据灌区对目标函数的不同选择,及时作出相应的渠系优化配水决策。当某一天或某个时段的用水结束时,可及时对灌区计划用水工作进行总结。随着灌区用水信息现代化管理技术的不断推广普及,必将进一步提高我国灌区计划用水的管理水平,促进灌区用水管理工作朝着科学化、现代化的方向发展[96~99,107,108]。

4.2　灌区计划用水与水量调配决策管理系统的基本内容

　　根据我国水资源状况及基本国情,必须实施节水型灌溉农业。如前(绪论)所述,节水灌溉农业应当分 3 个层次。灌区计划用水与水量调配决策管理系统主要应用于第三个层次,即针对某一区域(灌区)有限的农业水资源,如何在全灌区进行计划用水管理和水量的优化调配决策。为此,整个系统由 4 个子系统组成(如图4-1)。

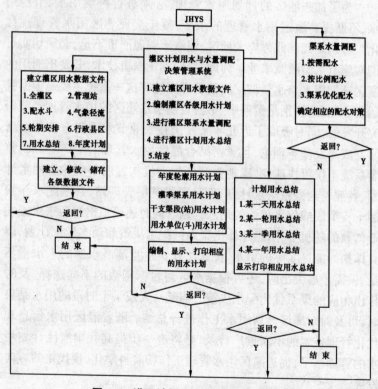

图 4-1　灌区计划用水管理系统结构框图

4.2.1 建立灌区用水数据文件

由于我国各灌区的地理位置、地形地貌、水文地质、渠系布置、农业气象、灌溉制度、作物类型以及管理方式差异很大,而该系统又必须具有较强的通用性,为此,需将各灌区实际的用水资料,从灌区数据库中按一定的格式生成各级数据文件,以便于各子系统根据需要随时调用。由于各功能模块实际运行时所需的数据不尽相同,因而把全灌区的灌溉用水数据概化成全灌区、管理站、配水斗、气象径流、轮期安排、行政县区、用水总结、年度计划等8类数据文件,以子菜单的形式供用户任选。

(1)全灌区。内容包括灌区名称、年份、灌季名、轮期划分数、全灌区干支渠分水口数、管理站数、作物类型数;干渠数以及干渠名、正常流量、所辖干支渠数,干渠水利用系数;作物名称、种植面积;全灌区田间水、斗渠、干支渠水的利用系数。

(2)管理站。内容包括管理站名、管辖的干支渠数、配水段数、斗渠数、施测任务数;段名、段辖斗渠数、上一级渠道水利用系数;干支渠名、正常流量、是否为独立渠道;各作物名称及种植面积;全站田间水、斗渠、干支渠水的利用系数,机井数目。

(3)配水斗。内容包括斗渠名、全斗的农渠数、轮灌组数;作物名称与种植面积;田间水、斗渠水的利用系数;轮灌组名、组内所辖农渠数、组内斗渠水利用系数;农渠名、田间水利用系数、农渠的种植面积。

(4)气象径流。内容包括灌季月份数以及月份、降雨量、气温、河源来水流量。

(5)轮期安排。内容包括全灌季的轮期划分数,每个轮期的起、止日期,用水天数以及试渠、储备水与引洪的天数;泡田定额、灌水定额、渠道预计来水流量;作物名称、需水阶段、灌水成数。

(6)行政县区。内容包括县区数、各县区的名称、设施面积、有效灌溉面积、作物种植面积。

(7)用水总结。由于用水时段不一,且用水总结的内容与数据各异。为此设置了两种不同时段的用水总结数据文件,采用子菜单的形式供用户选择。

一是日用水总结。内容包括全灌区各管理站的站名、干支渠名、某一天斗口实配水量。

二是轮期用水总结。内容包括全灌区各管理站的站名、干支渠名、某一轮期的实结斗口水量、实结田间水量、作物实际灌溉面积以及实征的水费。

(8)年度计划。内容包括灌区多年来冬、春、夏3个灌溉季节平均的分水比例,全灌区各管理站多年来冬、春、夏3个灌溉季节实际完成的斗口水量任务。

建立灌区用水数据文件子系统的主要功能是:建立、调用或查询、修改或储存以上8类顺序数据文件。

4.2.2 编制灌区各级用水计划

实行计划用水,必须在用水前编制好各级用水计划,事先确定出各时段渠首的引水计划和渠系配水计划,即向各级渠系(或各基层用水单位)的配水流量、配水次序和配水时间等。合理地制定用水计划,需根据作物的生育阶段和需水要求、水源供水条件和渠系的输水能力,统一协调需水、供水和配水的关系,达到充分利用和节约水资源,促进作物高产、稳产,获得较高经济效益的目的。用水计划从时间上可分为年度(轮廓)用水计划与灌季用水计划。年度用水计划首先是根据中长期的水文和气象预报,初步确定来年的水文年份,再参照以往的实际用水情况,初步确定出全灌区及各基层管理站的灌水任务指标(指斗口水量与灌溉面积)。年度用水计划一般不作具体的流量分配,因而有的灌区往往称其为年度轮廓用水计划。而灌季用水计划,按照我国的季节特点,一般可分为冬灌、春灌和夏灌3个灌溉季节。对每一个灌溉季节,要求分3级编制用水计划。即灌区灌溉管理部门(局),负责编制全渠系的用水计划;基层管理单位(站),负责编制干支渠段的用水计划;而基层用水单位(斗),则负责编制用水单位的用水计划。灌季用水计划要求具体确定出整个灌季的灌溉任务、轮期安排、灌水日期、引水天数、引水流量以及各干支渠分水口的配水流量和配水比例。因此,灌季用水计划在灌区用水管理中,对渠系引水、配水和用水起着指导与控制的作用。

为了便于讨论,我们以图4-2所示的渠系布置为例。

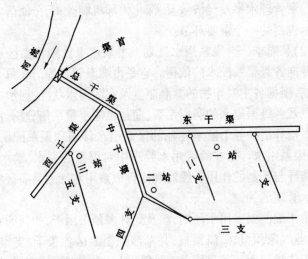

图4-2 典型灌区渠系布置

由于我国各灌区的地理位置、自然条件和气候、土壤、作物均有很大差异,因此,在编制用水计划时必须考虑地区的自然经济特点,贯彻因地制宜的原则。本系统主要根据我国北方自流引水灌区的灌溉管理经验,可快速编制以下4种不同级别的用水计划,并以子菜单的形式供用户任意选择。

(1)年度(轮廓)用水计划。年度用水计划是灌区灌溉管理部门确定来年各个灌季及各管理站的斗口水量、灌溉面积、征收水费等任务指标的一个指令性计划。它是在每个灌溉年度用水之前，由灌区灌溉管理部门根据设计年的河源来水和农业气象预报，以及各基层管理单位多年来实际完成的用水情况，通过各方面的综合考虑所确定出来的轮廓性的灌溉任务指标。其输出格式如表4-1。年度用水计划不仅为编制各灌季的渠系用水计划提供基本依据，而且也为各基层管理站实行全面的责任承包提供基本的起点指标。因此，它是灌区进行宏观决策、加强计划用水管理、提高灌区经营管理水平及经济效益、深化内部机制改革、全面落实各级责任承包制的一个重要环节。

(2)某灌季(全)渠系用水计划。渠系用水计划是灌区从水源引水并向各级渠系配水的依据。它是由灌溉管理部门在每个灌季用水前，根据各主要作物的灌溉制度及实际需水状况、河源的来水预报以及各级渠道水的利用系数，通过供需水量平衡分析，由下而上逐级推算出的各个灌水轮期的渠系引水计划和渠系配水计划。因此，渠系用水计划在灌区用水管理中对渠系的引水、输水、配水起着指导与控制的作用。编制和执行渠系用水计划是灌区实行计划用水管理的关键。

由于编制渠系用水计划，涉及到许多预报因子，如河源水文预报、农业气象预报、灌溉预报，并牵涉到全灌区各条干、支渠道，计算的工作量很大。若采用手工计算，对一个大型灌区来说，编制一个完整的渠系用水计划，一般需要 7～10 天。而采用本系统，只要基本数据齐全，按要求事先已建立起有关的数据文件，则编制一个完整的大型灌区的渠系用水计划，一般只需运行十几分钟的时间。而且用户可随时对有关的预报参数作出修正，快速、准确地得出相应的应变用水计划。也就是说，只有采用计算机管理技术和相应的应用软件，才完全有可能随实际来水流量、气象条件和作物的需水要求，快速及时地作出动态的用水计划。只有这样，渠系用水计划才能起到指导灌区引水、输水和配水工作的作用。

本子系统将打印输出 6 个方面的内容：①作物种植面积分站、分县区统计表；②全灌区各级渠道水的利用系数统计表；③某灌季各月气象、径流统计表；④某灌季供需水量平衡与引水计划表（见表 4-2）；⑤某轮期渠系配水计划表（见表 4-3）；⑥某灌季灌溉任务分站分渠统计表。

(3)干支渠段(管理站)用水计划。干支渠段用水计划也称管理站用水计划。它是各基层管理单位向所管辖的各干支渠段(或称配水段)及其下属各条斗渠配水的依据。干支渠段用水计划是贯彻落实渠系用水计划的基础。编制干支渠段(站)用水计划的特点是：依据渠系用水计划中已确定的配水流量，由管理站把此流量分配到站内所辖的各配水段，再由各配水段把分得的流量分配给段内所辖的各条斗渠。一般情况下，各配水段之间实行续灌，而段内的各条斗渠则按事先划分的轮灌组实行轮灌，并以各斗的毛灌溉用水量作为配水的依据。

整个子系统将快速打印输出 3 项内容：①某管理站作物种植面积按段分斗统计表；②某管理站灌溉任务按段分斗统计表；③某管理站某轮期配水表（如表 4-4）。

(4)用水单位用水计划。用水单位用水计划，有的灌区也称配水斗用水计划。它是贯彻落实干支渠段(站)用水计划的基础，也是灌溉技术与农业生产实际相结合的重要环节。编制用水单位(斗)用水计划，内容包括划分轮灌组，安排各轮灌组的轮灌顺序、轮灌时间，以及确定各组的灌溉用水量和配水比例等。其过程是：由斗把流量配到斗内若干条农渠组成的轮灌组，按各组灌溉面积的大小分配供水时间，并计算轮灌组内各条农渠的配水比例。

斗用水计划的输出打印内容有 3 项：①某灌季某配水斗作物种植面积按农渠统计表；②某灌季某配水斗作物灌溉面积按农渠统计表；③某灌季某轮期某配水斗配水表。

表 4-1 典型灌区1998年各站斗口水量与灌溉面积任务

站 别	斗口引水量(10⁴m³)				灌溉面积(hm²)				站灌溉水利用系数	征收水费(元)
	冬	春	夏	小计	冬	春	夏	小计		
一站	496.5	426.0	494.2	1 416.7	6 621	5 680	6 589	18 890	0.638	885 868
二站	259.5	221.5	266.6	747.5	3 460	2 953	3 554	9 967	0.676	461 122
三站	294.0	252.6	289.2	835.8	3 920	3 367	3 856	11 143	0.702	563 953
全局合计	1 050.0	900.0	1 050.0	3 000.0	14 000	12 000	14 000	40 000		1 910 943

表 4-2 典型灌区1998年冬灌供需水量平衡与引水计划

轮次	用水时间(日/月)		天数	作物面积(10³m²)		作物需水阶段	灌溉成数(%)	灌溉面积(10³hm²)	灌水定额(m³/hm²)	田间用水量(10⁴m³)	轮次用水量(10⁴m³)	渠首引入流量(m³/s)	河源来水流量(m³/s)	计划用水指标	
	起	止		作物名称	种植面积									灌溉水利用系数	渠系灌溉效率
1	25/11	10/1	45	冬小麦	29.7	苗期	70	20.4	750	1 531.2	3 514.9	9.04	20	0.598	909
				其他	9.0	冬灌	45	4.3	900	381.7					
合计	25/11	10/1	45		38.7	冬泡	64	24.7	780	1 912.9	3 514.8	9.04	20	0.598	909

表 4-3　　　　典型灌区 1998 年冬灌第 1 轮渠系配水计划

渠　别	田间净用水量 ($10^4 m^3$)	干支渠净流量 (m^3/s)	干支渠 利用系数	干支渠毛流量 (m^3/s)	占本渠段比率 (%)	总干一个流量 各渠应分流量 (L/s)
一支	424.66	1.494	0.870	1.717	41.2	189.90
二支	487.41	1.736	0.890	1.951	46.8	215.80
东干	142.14	3.668	0.880	4.168	100.0	461.10
三支	142.14	0.478	0.910	0.525	26.2	58.10
四支	326.33	1.148	0.900	1.276	63.8	141.20
中干		1.801	0.900	2.001	100.0	221.30
五支	383.50	1.335	0.920	1.451	69.8	160.50
西干	127.66	1.870	0.900	2.078	100.0	229.90
总干	21.19	8.317	0.920	9.040	100.0	1 000.00
灌区合计	1912.9	8.317		9.040	100.0	100.0

表 4-4   典型灌区二站1998年冬冬灌第 1 轮配水表

段 别		作物灌溉面积(hm²)			田 间灌水量(m³)	斗渠水利用系数	斗 口供水量(m³)	灌组斗口水量(m³)	百分比(%)		配水段斗口流量(L/s)	斗渠利用系数
段	别	苗期冬灌	冬泡	合计					斗占段	段占站		
三段	一斗	47	6	53	39 500	0.792	49 874		32.0			
	二斗	23	5	28	20 900	0.792	26 389		16.9			
	三斗	70	15	85	63 750	0.801	79 588		51.1			
合计		140	26	166	124 150	0.795	155 851	171 265	100.0	18.0	55	0.91
四段	四斗	117	18	135	101 000	0.801	126 092		18.3			
	五斗	140	14	154	115 150	0.801	143 758		20.9			
	六斗	117	18	135	101 000	0.801	126 092		18.3			
	七斗	140	15	155	116 250	0.801	145 131		21.1			
	八斗	140	18	158	118 500	0.801	147 940		21.5			
合 计		653	83	736	551 900	0.801	689 013	765 570	100.0	82.0	247	0.90
全站合计		793	108	901	676 050	0.798	844 864	936 835		100.0	300	0.91

4.2.3 灌区渠系水量调配

编制各级用水计划,只是灌区实行计划用水管理的第一步,更重要的是贯彻执行用水计划。灌区渠系水量调配是执行用水计划的中心内容。在自然条件复杂多变的半干旱半湿润地区,只有做好灌区渠系水量的调配工作,才能最大限度地发挥水利工程的灌溉效益。

渠系水量调配子系统模拟灌区在实际灌水期间的运行工况,其工作过程是:各管理站事先向灌区配水中心提出第二天的需水流量申请,由配水中心按渠系布置,由下而上逐级推算出全灌区所需流量 Q_X,并依据河源的来水流量及工程引水条件,确定出渠首实引流量 Q_Y。通过比较 Q_X 与 Q_Y,即可选择以下 3 种配水决策方案:

(1)全渠系按需配水。当 $Q_X < Q_Y$,即灌溉需水流量小于渠首实引流量时,通常执行按需配水的方案,按各管理站事先申报的需水流量配水。由于有些大灌区,干渠流程长,沿途还设有塘、库等长藤结瓜工程,因此还需考虑充塘充库的水量。另外,为了尽快满足或调节实际用水中的流量变化,尚需考虑一定比例的调配流量。有些灌区,还需考虑利用干渠集中水位落差进行发电的要求。

若 $Q_X > Q_Y$,但综合利用灌区内的塘、库蓄水及井、泉等多种水源,有可能满足灌溉需求时,仍可考虑实行按需配水。

(2)全渠系按比例配水。当渠首引水流量不能满足灌溉需水流量时(即 $Q_X > Q_Y$),一般灌区多采用按比例配水的决策方案,即按渠系用水计划中预先确定好的各干支渠系的配水比例配水。

(3)渠系水量优化调配。按需配水和按比例配水是我国各灌区现行的,也是传统的配水方法。它们以全灌区均衡受益为配水原则,既没有深入考虑用水单位本次灌水的增产效益,也未能全面虑及灌溉管理部门本身的经济效益。这两种配水决策方法无疑很难保证全灌区按作物实际的需水规律来供水，也很难求得单位水量最大的增产效益，而且往往容易使灌区的各级管理机构变为一个单纯的卖水单位，无暇顾及组织和实施节水型的灌溉农业。

灌区优化配水的目的是应用系统工程优化技术，对灌溉水量的时空分配作出最优决策，以寻求全灌区或灌溉管理部门最大的经济效益。在我国半干旱或半湿润地区，由于河源的来水量与作物田间需水量之间的供需矛盾突出，因此，如何做好有限水量的调配，充分发挥单位水量的经济效益，是节水灌溉管理中一个实用而亟待解决的问题。

多年来，国内外已对灌溉水量的优化调配作了不少深入的研究工作。例如：以作物水分生产函数的田间试验成果作为优化配水模型的基础，以有限水量的增产效益最大为目标函数，用线性规划、动态规划或边际分析方法来求解各单位最优的灌溉面积和优化的配水流量。这种优化方法，通过水分生产函数，把灌溉水量与农业增产效益有机地结合起来，因而比现行的常规配水方法更加科学，也更先进。

通过灌区的实际调查，各灌溉管理部门普遍感兴趣的是某次灌水有限的灌溉水量如何在全灌区分配，使得灌溉管理部门的水费收入最高。为此，在消化、吸收国内外优化配水研究成果的基础上，开发出某一次灌水，两种不同目标函数的渠系优化配水模型，以子菜单的形式供灌区在实际水量调配中选用：①某次灌水全灌区净增产值最大；②某次灌水灌溉管理部门的水费收入最高。

该渠系水量优化调配系统可自动输入各模型参数，通过反复迭代，列表输出渠系优化配水方案。若选择第一种优化模型，打印输出全灌区本次灌水的净增产值，并按渠系布置分别打印出各单位充分灌溉、非充分灌溉的面积、灌水定额、斗口水量和配水比例等。若选择第二种优化模型，将打印出本次灌水全灌区的水费收入，各单位的灌溉面积、斗口水量、正常流量、放水时间和配水比例等(如表 4-5)。当渠道来水流量发生变化的,为保证优化配水方案的正确实施,还可自动进行渠系轮灌组的划分,并确定出各组的配水流量与放水时间等。

表 4-5 典型灌区 1998 年夏灌优化配水

渠　别	干支渠净流量（m^3/s）	干支渠利用系数	干支渠毛流量（m^3/s）	占本渠段比率(%)	总干一个流量各渠应分流量（L/s）
一支		0.870			
二支	3.33	0.890	3.74	88.0	291
东干	3.74	0.880	4.25	100.0	331
三支	0.73	0.910	0.80	28.8	62
四支	1.53	0.900	1.70	61.2	132
中干	2.50	0.900	2.78	100.0	216
五支	2.30	0.920	2.50	55.1	194
西干	4.09	0.900	4.54	100.0	353
总干	11.83	0.920	12.86	100.0	1 000
全灌区合计	11.83	0.899	12.86	100.0	1 000

4.2.4　灌区计划用水总结

编制与执行用水计划,必须从灌区的实际出发,因地制宜,不断积累和分析实测资料,总结实践经验。这是不断提高灌区计划用水管理水平的一项重要措施。计划用水总结的中心内容是检查、总结用水计划的执行情况。通过用水总结,可以及时地反映出灌区编制和执行用水计划的质量和水平。因此,灌区各级管理部门都应当在某一时段用水结束后,及时地作出计划用水的工作总结。特别是要算清水账,做到日清轮结,促进灌区逐步向企业化管理过渡,加强灌区财务核算,不断提高灌区的经营管理水平和灌溉效益。

该子系统根据灌区用水的实际,设置了 4 种不同时段及要求的用水总结,以子菜单的形式供用户任选。

(1)进行日用水总结。目前各灌区均已实行"以收抵支,财务包干"的管理办法,水费收入是灌区最主要的收入之一。因此,如何做到日清轮结,及时结算水费,是灌区管理部门最感兴趣,也是上、下普遍关注的问题。只要读入全灌区各管理站及其各干支渠段某一日的实配水量,该系统即可迅速分析、打印出此日全灌区各管理站及各级渠道实配的斗口水量、应灌溉的面积以及应结的水费等,如表4-6。在灌区行水期间,每天由灌区配水中心打印出全灌区的用水信息清单,并发至各基层管理单位。这无疑对促进各基层管理单位加强计划用水管理,及时算清当天的水账,落实斗口水量与灌溉面积,及时结算当天水费是大有益处的。这对提高灌区的财务管理水平,实行水费结算公开化,提高透明度也是大有好处的。

表 4-6   典型灌区冬灌第 1 轮第 5 天用水总结

站名	渠别	实配斗口水量 (m^3)	应结水费 (元)	应灌面积 (hm^2)
	一支	230 000	11 500	278.8
一站	二支	250 000	12 500	303.0
	小计	480 000	24 000	581.8
	三支	320 000	17 600	387.9
二站	四支	230 000	12 650	278.8
	小计	550 000	30 250	666.7
三站	五支	320 000	19 200	387.9
总　计		1 350 000	73 450	1 636.4

在分析、打印轮期内某一天用水总结的同时,计算机还自动地将每天的用水数据累加、储存,一旦整个轮期用水结束,即可打印输出全灌区整个轮期的用水信息。这为各基层管理单位按轮期结算水账提供了基本依据。

(2)进行轮期用水总结。主要是对整个轮期的用水信息进行系统总结。总结的项目包括各站及各干支渠段的实配斗口水量、实结斗口水量、水量的对口率;田间实结水量、各主要作物的灌溉面积、斗渠水利用率、净灌水定额、毛灌水定额、斗渠灌溉效率、应结的水费、实结的水费、水费对口率;单位面积平均受水单价、斗口每方水单价等。打印输出格式如表4-7。

(3)进行某一灌季的用水总结。各轮期用水总结是灌季用水总结的基础。灌季用水总结,实际上是微机管理系统将灌季内各轮期的用水总结信息累加后,加以显示或打印,因而其输出的格式与轮期用水总结的项目类同。

(4)进行某一年度的用水总结。全年用水总结的实质是:管理系统将各灌季的用水总结资料自动累加后加以显示,打印输出。因而其输出格式也与轮期总结的项目类同。通过全年的用水信息汇总统计,可了解全灌区以及各基层管理部门全年的用水情况,计划用水的管理质量、管理水平以及最后的水费征收情况等。

整个灌区计划用水与水量调配决策管理系统具有4大主要功能:一是按一定的格式将各灌区的实际用水信息生成有关的数据文件,以供各功能模块随后调用;二是在用水前编制各级用水计划,包括为灌区灌溉管理部门编制年度轮廓用水计划和各灌季的渠系用水计划,为各管理站编制干支渠段的用水计划,甚至可为各配水斗编制用水单位的用水计划;三是在实际用水时进行全灌区的渠系水量调配决策,包括水源充足时采取按需配水,供需矛盾紧张时采取按比例配水或渠系优化配水;四是在各时段用水结束后及时进行计划用水总结,包括每天、每轮、每季以及全年的用水信

表4-7

典型灌区1998年冬灌第1轮用水情况汇总

站别	渠名	实结斗口水量 (m³)	田间实结水量 (m³)	灌溉面积 (hm²)			斗渠利用率 (%)	净灌水定额 (m³/hm²)	毛灌水定额 (m³/hm²)	斗渠灌溉效率	实征水费 (元)	受水单价 (元/hm²)	斗口水单价 (分/m³)
				冬小麦	其他	小计							
一站	一支	15 000	125 000	167	33	200	83	630	750	115	7 500	37.50	5.0
	二支	150 000	125 000	167	33	200	83	630	750	115	7 500	37.50	5.0
	小计	300 000	250 000	333	67	400	83	630	750	115	15 000	37.50	5.0
二站	三支	150 000	125 000	167	33	200	83	630	750	115	7 500	37.50	5.0
	四支	150 000	125 000	167	33	200	83	630	750	115	7 500	37.50	5.0
	小计	300 000	250 000	333	67	400	83	630	750	115	15 000	37.50	5.0
三站	五支	50 000	125 000	167	33	200	83	630	750	115	7 500	37.50	5.0
全渠系合计		750 000	625 000	833	167	1 000	83	630	750	115	37 500	37.50	5.0

息总结。可见,该系统功能齐全,已包括灌区计划用水管理的各个方面,而且紧密结合我国灌区灌溉管理的生产实际,具有较高的推广应用价值[97,99,107,108,132]。

4.3　灌区计划用水与水量调配决策管理系统的基本原理

前两节已介绍了该系统的结构、内容及其功能。本节主要介绍该系统的基本原理、开发思路及其计算机编程技术。

灌区计划用水与水量调配决策管理系统是一种专业性很强,且专门为灌区从事计划用水管理而研制开发的通用软件包。用户大多是各灌区从事灌溉用水管理工作且又不太熟悉计算机原理和计算机应用知识的技术管理人员。特别是我国幅员辽阔,各地的自然地理、气候风貌、作物类型、灌溉制度以及管理方式大不相同,要开发出能适应全国各类灌区的通用软件难度很大。该系统的研制与开发,主要依据我国北方,特别是黄河中、下游地区自流引水灌区的用水管理经验,同时吸取了在计划用水管理方面历史较长的陕西关中泾、洛、渭等大型灌区的管理经验。通过多次在这些灌区的实地调查并通过课题的立项研究,与灌区的技术管理人员结合,共同进行了该软件系统的开发。研究成果又先后在这些灌区进行了实际应用,根据应用后的反馈意见,对该系统进行了多次的维护与改进,使之更加紧密结合灌区生产实际,应变能力强,且稳定可靠。

4.3.1　年度轮廓用水计划

灌溉管理部门在每个年度用水前,要确定出下个年度全灌区及各管理站冬、春、夏各灌季的斗口水量、灌溉面积和水费征收的任务指标。由于各灌区普遍推行斗口水量的承包责任制,因此,各站任务指标的确定是个相当敏感的问题。此值定得太高,各站无法完成,将失去实际意义;定得太低,又直接影响全局的经济效益。

另外,还需考虑气候条件的随机影响,在确定任务指标时应留有一定的余地。为此,在充分吸取各灌区用水管理经验的基础上,该模块按以下几个步骤进行:

4.3.1.1 各灌季斗口水量任务指标的确定

首先要依据河源来水的年径流预报,估算出设计年河源的平均来水流量。根据来水频率确定水文年份,并据此选择典型年。进而参照典型年实际完成的斗口水量指标,初步确定出设计年预计完成的斗口水量任务($NDSL$)。同时,依据近 3～5 年冬、春、夏各灌季平均完成的水量任务,计算出各季的分水比例及斗口水量。

各季分水比例:
$$JFSBL(j) = \frac{JSL(j)}{TSL} \tag{4-1}$$

各季的斗口水量任务:$JDSL(j) = NDSL \cdot JFSBL(j)$ （4-2）

式中　　(j)——灌季序号,$j = 1, 2, 3$,分别代表冬、春、夏各灌季;

$JSL(j)$——各灌季多年来平均完成的斗口水量,$10^4 m^3$;

TSL——近几年来平均完成的年斗口水量,$10^4 m^3$;

$JDSL(j)$——设计年各灌季的斗口水量任务,$10^4 m^3$。

4.3.1.2 各管理站斗口水量任务的确定

为使各站的任务指标能客观、公正,经过努力又能达到,该子模块吸取各灌区的经验,按以下 3 种不同的策略来确定各站的任务指标,以供用户选用。

(1)按近几年来各站实际完成的斗口水量之比确定。

各站分水比例:
$$FSBS(i, j) = \frac{DSL(i, j)}{JDSL(j)} \tag{4-3}$$

$$DSLS(i, j) = \text{INT}[JDSL(j) \cdot FSBS(i, j) \cdot 10 + 0.5]/10 \tag{4-4}$$

(2)按各站主要作物的种植面积之比确定。

各站分水比例:
$$FSBm(i, j) = \frac{ZMJ(i)}{TMJ(j)} \tag{4-5}$$

$$DSLm(i, j) = \text{INT}[JDSL(j) \cdot FSBm(i, j) \cdot 10 + 0.5]/10 \tag{4-6}$$

(3)斗口水量和种植面积双兼顾,各占一定比例来确定。

$$DSL(i,j) = \text{INT}[DSLS(i,j) \cdot QZ/10 +$$

$$DSLm(i,j) \cdot (100 - QZ)/10 + 0.5]/10 \qquad (4\text{-}7)$$

式中　　i——各管理站的序数,$i = 1,2,3,\cdots,$;

$\quad DSL(i,j)$——i 站 j 灌季的斗口水量任务,10^4m^3;

$\quad DSLm(i,j)$——按作物种植面积比确定的斗口水量任务,10^4m^3;

$\quad DSLS(i,j)$——按斗口水量之比确定的斗口水量任务,10^4m^3;

$\quad QZ$——斗口水量所占的权重,%;

其余符号意义同前。

以上 3 种策略确定的各站斗口水量任务均可通过屏幕列表显示,供用户灵活修改。

4.3.1.3　各站灌溉面积的确定

各站的斗口水量确定后,根据各站的灌水定额 $GSD(i)$,即可确定出各站的灌溉面积。

$$GmJ(i,j) = \text{INT}[DSL(i,j)/GSD(i) + 0.5] \qquad (4\text{-}8)$$

4.3.1.4　各站应征收水费的确定

我国各灌区的水费征收,一般包括两种:一种是按有效灌溉面积征收的固定水费;另一种是按斗口水量计收的按量水费。对固定水费,首先由用户确认是否征收固定水费,若回答"y",则进一步输入固定水费的征收标准 $GDSF$(元/hm^2)。各站的水费为

固定水费:$ZGDSF(i) = \text{INT}[GDSF \cdot ZMJ(i) + 0.5] \qquad (4\text{-}9)$

按量水费:$JLSF(i) = \text{INT}[DSL(i,j) \cdot SFDJ(i,j) + 0.5]$

$$\qquad (4\text{-}10)$$

征收水费:$SF(i) = ZGDSF(i) + JLSF(i) \qquad (4\text{-}11)$

年度轮廓用水计划的打印输出格式如表 4-1。

4.3.2 (全)渠系用水计划

编制渠系用水计划,一般首先由下而上,分别统计、整理出各基层管理单位(管理站)及各县(市)区在本灌季内作物的种植面积,各级渠道水的利用系数,以及各月的气温、降雨量及河源来水径流量。然后依据各轮期的河源来水、主要作物的灌溉制度、灌区实际用水的管理经验,以及各站年度用水计划中确定的灌溉任务指标,进行各轮期的供需水量平衡分析,即根据已初步确定的渠首引水流量 Q_Y、灌溉面积 $GmJ(c)$、轮期用水天数(T)、灌水定额 $GSD(c)$,试算出灌溉需水流量 Q_X:

$$Q_X = \frac{\sum_{c=1}^{CRS} GmJ(c) \cdot GSD(c)}{86\,400 \cdot T \cdot \eta_水} \quad (\text{m}^3/\text{s}) \qquad (4\text{-}12)$$

式中　　CRS——作物种类数;

　　　　c——作物序号;

　　　　T——轮期用水天数,d;

　　　　$\eta_水$——全灌区水的利用系数。

若 $Q_X > Q_Y$,即计划需水流量大于预计的渠首引水流量,则必须进行用水调整,如缩小灌溉面积 $GmJ(c)$,或降低灌水定额 $GSD(c)$,或延长轮期用水天数 T 等。如此需要反复修改,直至用户满意。

然后从最低一级渠系或地处最下游的管理站,由下而上逐级推算各级渠系的配水流量及配水比例。

斗口流量:$Q_{斗,i} = \sum_{c=1}^{CRS} GmJ(i,c) \cdot GSD(i,c)/(\eta_{田,i} \cdot \eta_{斗,i} \cdot T \cdot$

$$86\,400) \qquad (4\text{-}13)$$

干支渠流量:$Q_{干,支,净} = Q_斗 + Q_{下游}$ 　　　　　　　　$(4\text{-}14)$

$$Q_{干,支,毛} = \frac{Q_{斗,支,净}}{\eta_{干,支}} = \frac{Q_斗 + Q_{下游}}{\eta_{干,支}} \qquad (4\text{-}15)$$

干支渠配水比:$PSB(i) = \dfrac{Q_{干,支,毛}}{Q_Y} \cdot 100$ (4-16)

各渠段的配水比:$Q_{渠段} = Q_{干,支,毛} - Q_{下游}$

$$PSB(i) = \dfrac{Q_{渠段}}{Q_{干,支,毛}} \cdot 100 \qquad (4-17)$$

式中 $Q_{下游}$——本渠段输送到下游分水点的流量。

  计算机在编制各个轮期的引水计划和配水计划的同时,将各站和各县(市)的灌溉面积予以整理、统计,且包括井灌面积以及各站的施测任务等。

4.3.3 干支渠段(管理站)或用水单位(斗)的用水计划

  站(斗)用水计划的编制原理与渠系用水计划类同。首先要求用户对编制站或斗的用水计划作出选择,然后程序自动打开对应的数据文件,读入有关的资料,进行作物种植面积的统计与打印输出,接着按轮期进行供需水量平衡分析,直到推算的灌溉流量 Q 小于或等于渠系用水计划中确定的流量 Q_d 为止。否则需作有关的用水调整。编制站用水计划按配水段逐个进行计算。斗用水计划则按轮灌组逐个进行配水表计算,一直到全灌季各个轮期的引水、配水计算结束,才显示打印出整个灌季的灌溉面积统计表。

4.3.4 渠系水量调配与优化配水

  该模块的主要功能是要对灌区有限的灌溉水量在全渠系进行调配,作出切合生产实际而又合理科学的决策。为此,该子系统模拟了灌区在实际用水期间的运行工况。首先要求用户输入本次灌水的渠首引水流量 Q_Y、用水天数 T,并要求按渠系布置,由下而上逐级输入各基层管理站及所辖各干支渠分水口所需的灌水流量 $Q(i)$。该模块将自动推算出各级渠系的灌溉需水流量,直至渠首的需水流量 Q_X。

  当 $Q_X \leqslant Q_Y$ 时,即渠首的需水流量小于或等于渠首引水流量时,全渠系实施按需配水方案,管理系统将自动打印输出按需配水的渠系配水表。

当 $Q_X > Q_Y$ 时,即全灌区的灌溉需水流量大于渠首实际引水流量时,可由用户作进一步选择:一种是常规的按比例配水,即系统自动打开对应轮期的渠系用水计划,将有关各级渠系的配水比例读入内存,并计算出相应各级渠系的配水流量,打印输出按比例配水的渠系配水表;另一种是优化配水,屏幕将显示两种不同的目标函数,一是全灌区净增产值最大,二是全灌区水费收入最高,供用户选择,并将自动计算相应模型所需的各个参数,然后用迭代法对线性优化模型求解,最后打印输出相应目标函数的渠系优化配水表。以下对这两个不同目标函数的优化配水模型作一介绍。

4.3.4.1 某次灌水全灌区净灌溉增产值最大

(1)建模基础。对半干旱缺水灌区来说,灌溉水量往往不足,不能保证全部灌溉面积都能得到充分灌溉,必须实行一部分面积不灌,另一部分面积非充分灌溉(或称限额灌溉),从而出现不同作物因缺水造成不同程度的减产损失。为此可根据作物产量与各生育阶段相对蒸发蒸腾量的关系,推算出某次灌水中充分灌、非充分灌及不灌对各种作物产量的影响。

采用 Jensen 模型推算作物产量某次灌水充分灌与非充分灌的增产量 ΔY_1, ΔY_2:

$$Y_a = Y_m \prod_{i=1}^{n} \left[\frac{ET_i}{ET_{mi}} \right]^{\lambda_i} \tag{4-18}$$

其推导过程详见第三章式(3-27)至式(3-36)。

(2)目标函数。

$$\begin{aligned} \max B_1 = \sum_{j=1}^{GZS} &\{[\Delta Y_1(j)X(j,1) + \Delta Y_2(j)X(j,2)]P - \\ &SF(j)[m_1(j)X(j,1) + m_2(j)X(j,2)]/ \\ &[TXS(j)DXS(j)] - PL[X(j,1) + X(j,2)]GL\} \end{aligned} \tag{4-19}$$

式中　　B_1——某次灌水全灌区净灌溉增产值,元;

　　　　$X(j,1),X(j,2)$——决策变量,分别代表 j 单位某作
　　　　　　　　　　物充分灌、非充分灌溉的面积,
　　　　　　　　　　hm^2;

　　　　P——某作物产品单价,元/kg;

　　　　$m_1(j),m_2(j)$——j 单位某作物充分灌与非充分灌的
　　　　　　　　　　灌水定额,m^3/hm^2;

　　　　$SF(j)$——用水单位的综合水费单价,元/m^3;

　　　　$TXS(j),DXS(j)$——田间水、斗渠水的利用系数;

　　　　PL——灌溉单位面积所需的工日,工日/hm^2;

　　　　GL——每个灌水工日应付的工资,元/工日;

　　　　GZS——全灌区下属用水单位(管理站或干支渠分水口)
　　　　　　　　的数目;

　　　　其余符号意义同前。

(3)约束条件。

①面积约束:

$$X(j,1)+X(j,2)\leqslant m(j,c) \qquad (4\text{-}20)$$

式中　　$m(j,c)$——某次灌水 j 单位某作物 c 的种植面积,hm^2;
　　　　其余符号意义同前。

②水量约束:

$$\sum_{j=1}^{GZS}[m_1(j)X(j,1)+m_2(j)X(j,2)]/[TXS(j)DXS(j)GZXS(j)]$$
$$\leqslant 86\,400Q_LT\eta_{总} \qquad (4\text{-}21)$$

式中　　$GZXS(j)$——j 单位干支渠水的利用系数;

　　　　Q_L——某一轮配水渠首的引水流量,m^3/s;

　　　　T——某轮配水或某次灌水的用水天数,d;

　　　　$\eta_{总}$——总干渠水的利用系数,若无此级渠道,则 $\eta_{总}=1$;

　　　　其余符号意义同前。

③流量约束：

$$\{[m_1(j)X(j,1) + m_2(j)X(j,2)]/[TXS(j)DXS(j)] + W(j)\}/$$
$$GZXS(j) \leqslant 86\ 400\ Q_2(j)T_1 \qquad (4\text{-}22)$$

式中　　$W(j)$——本渠段输送给下一渠段的水量,m^3;

　　　　$Q_2(j)$——j 单位干支渠的正常流量,m^3/s;

　　　　T_1——j 单位本次灌水实际用水天数,d;

　　　　其余符号意义同前。

④最小灌溉面积约束：

$$X(j,1) + X(j,2) \geqslant \min(j)m(j,c) \qquad (4\text{-}23)$$

式中　　$\min(j)$——j 单位最小灌溉面积约束系数;

　　　　其余符号意义同前。

⑤非负约束：$X(j,1) \geqslant 0$　　$X(j,2) \geqslant 0$　　　　(4-24)

4.3.4.2　某次灌水整个灌溉管理部门的水费收入最高

(1) 建模基础。目前各灌区一般均将配至斗口的水量作为起征水费的核算水量。要使有限的水量通过优化调配,达到全灌区的水费收入最高,就必须使干支渠系的输水损失降至最小,从而使到达斗口的计费水量最大。要做到这一点,建模时应注意考虑 3 点:一是干支渠水的利用系数,除与渠床土质、渠道衬砌、运行方式及管理水平等有联系外,还直接与渠道过水流量的大小有关。当渠道通过小流量水时利用系数往往较低,当渠道水流量处于正常流量的工作范围时其利用系数最高并趋于稳定。二是各用水单位的水费单价,特别是有些灌区实行综合水费单价,且各单位的水价不一。三是浮动水费,即根据灌溉季节与供需矛盾的紧张与否,实行上浮或下调的水费单价。

(2)目标函数。

$$\max B_2 = \sum_{j=1}^{GZS} SF(j)X(j) \qquad (4\text{-}25)$$

式中　　B_2——某次灌水全灌区的水费收入,元;

$SF(j)$——j 单位的综合水费单价,元/m^3;

$X(j)$——决策变量,某次灌水 j 单位的斗口水量,m^3。

(3)约束条件。

①面积约束:

$$X(j)TXS(j)DXS(j)/m(j) \leqslant \sum_{k=1}^{c} m(j,k) \qquad (4\text{-}26)$$

式中　　$m(j)$——j 单位的综合灌水定额,m^3/hm^2;

c——某次灌水同时灌溉的作物种类数;

其余符号意义同前。

②水量约束:

$$\sum_{j=1}^{GZS} X(j)/GZXS(j) \leqslant 86\,400 Q_L T \eta_{总} \qquad (4\text{-}27)$$

③流量约束:

$$[X(j)+W(j)]/GZXS(j) \leqslant 86\,400 Q_2(j)T_1] \qquad (4\text{-}28)$$

④最小灌溉面积约束:

$$X(j)TXS(j)DXS(j)/m(j) \geqslant \sum_{k=1}^{c} [\min(j) m(j,k)]$$

$$(4\text{-}29)$$

⑤非负约束:

$$x(j) \geqslant 0 \qquad (4\text{-}30)$$

第五章　灌区管理体制改革专家系统

5.1　灌区管理体制改革总论

　　我国各灌区一直实行"以条为主,专群结合"的管理体制。专管机构为灌区管理局和管理站;群管组织按干支渠段及行政区划,设立管理段、配水斗。从而形成了局、站、段、斗到村组"一条龙"的管理体系及服务网络。这种适应于计划经济的管理体制,曾代表了我国大中型灌区灌溉管理的基本模式,也曾发挥过相当大的作用。但随着农村家庭承包责任制的实施及农村市场经济的不断完善,这种管理体制暴露出许多难以克服的缺陷。一是由于村组集体经济薄弱,田间工程投入严重不足,老化失修现象日趋严重。特别是处于灌区下游或边缘的渠道,因供水无保障,常导致渠道荒废,灌溉面积萎缩的现象屡屡发生。二是村组机构的行政管理作用相对弱化,田间工程管理粗放,责、权、利不明,甚至无人负责,从而造成田间工程人为破坏及平毁严重,公有(集体)资产不断流失。三是群管组织层次过多,层层加码,使农民实际水费负担居高不下。近几年出现灌区供水量递减的不利态势。

　　斗渠以下田间工程是灌溉工程效益的基础。若不对管理体制进行改革,必将严重影响到灌区自身发展的活力和农业生产发展的后劲,也将会影响到灌溉工程效益的充分发挥。

　　灌区干支渠系及管理机构主系统也存在以下几方面的问题:

　　(1)长期以来,灌区灌溉管理工作一直习惯采用计划经济、行政命令的做法,而忽视经营管理、成本核算。又由于水利工程供水自然的垄断性,在管理工作中水衙门的官商作风盛行。

　　(2)实施"以收抵支,财务包干"的管理办法后,各灌区又把提高水价、征收水费从而提高效益作为灌区财务管理的惟一出发点，忽略了农田灌溉的市场需求、灌溉的增产效益及节约用水。

(3)灌区管理机构编员过多，普遍存在着机构庞大、人浮于事、效率低下、入不敷出的问题。据统计，截至 1997 年，陕西关中宝、泾、交、洛 4 大灌区的职工人数，10 年间净增 38.4%，而人均灌溉设施面积下降为 86.53 hm^2，低于国内平均水平。

(4)管理干部素质亟待培训提高。灌溉管理队伍的整体素质难以适应在当前市场经济形势下，以编定岗、成本管理以及组织农民科学用水，注重供水的增产效益，为承包者提供技术服务等需求。

因此，灌区管理体制的改革，是灌区全面适应市场经济，转变职能，逐步实行企业化管理，精减机构、减员增效，压缩非生产性开支，努力降低供水成本，增强自我发展活力，促进水利经济良性循环的重要环节。这对加强灌溉农业的可持续发展，特别是对长期困扰我国灌区量大面广的田间工程投入和管护问题，找出了一条根本的解决途径，对我国各灌区均有普遍的指导意义。

5.2　斗渠管理体制改革的形式、运作程序及成效

经调查，陕西关中 9 大灌区支、斗渠管理体制改革，截至 1999 年 8 月底，已完成改制的支、斗渠共 835 条，改制率已达总数的 19.7%。而且各灌区改制形式较多，叫法也各异。其中承包经营 323 条；拍买使用权、经营权 312 条；股份合作制 110 条；租赁经营 81 条；用水者协会 9 条。改制涉及支渠 102 条，其中完成整条支渠改制的有 40 条。

5.2.1　斗渠管理体制改革的主要形式

(1)承包经营。承包经营是在产权不变的前提下，按照所有权与经营权分离的原则，以承包经营的合同形式，确定灌区、承包人、农户三者之间的经济关系。承包人可在灌区核定的最高水价限度

内浮动水价,实行自主经营,自负盈亏。根据承包人出资的大小及今后推广的适用条件,承包经营还可细分为承包修复经营和拍卖(竞价承包经营)两种形式。

(2)拍卖(竞价承包)。拍卖是"五小"水利工程,通过资产评估后,采用公开竞价,出让移交给另一方经营管理的一种产权转让手段。它是市场经济条件下水利资产优化组合、配置的一种有效实现形式。但在关中灌区,特别是泾惠渠灌区,他们只借用拍卖这种形式,实质是出让支斗渠的经营权、使用权,所以更确切地讲,应当叫作竞价承包。截至 1999 年 8 月,已拍卖泾惠渠斗渠 330 条,占全灌区斗渠总数的 61.3%。其中单斗承包 72 条,占改制总数的 22%;其余为配水段一人中标,多人参与,段内各斗再进行责任承包的 258 条,占改制斗渠总数的 78%。

(3)租赁经营。租赁经营是指将支斗渠工程设施、设备进行资产评估后,出租给个人或合伙人,由他们自行负责渠道工程改造的资金投入和经营管理。而且承租者应预交一定的租金,用于该承租的支、斗渠设施的改造。租赁经营是在市场经济条件下,实现水利资产优化组合配置的一种尝试形式,是公有共营和公有民营的典型。其特点是支、斗渠所有权不变,将使用权、管理权、开发权出租,而且租期相对灵活,一般为 5~30 年。承租权只能继承,不得转让。而且经营中,出租方(甲方)不负连带责任。

(4)用水者协会。用水者协会是沿着渠道,由各受益农户按自然村自发地组织起来,从事用水管理的民间组织。由协会与管理局(或管理站)签订协议,明确双方权利与职责。协会全面负责对斗渠工程的修复、改造和经营等管理。根据协会章程,会员代表大会是协会最高权力机构。由各村、组会员大会推选代表,再由会员代表大会选举协会执委员,一般选主席 1 人,执委 1~2 人。执委会是协会的办事机构。由于协会主席和执委都是由农民群众通过公正、民主选举产生的,一般都是在农村中有威望,办事公正,能为农民办实事,又在水利管理方面有经验的能人,而且他们自己本身也是农民。因而用水者协会最能体现出群众的事由群众自己来管理的原则。每个灌季的灌溉用水决策均通过协会直接贯彻到各家各户。因此,用水者协会在代表农民群众利益、农民群众参与管理及民主监督等方面颇具特色。

(5)股份合作供水公司。股份合作制是中国小型企业改制中涌现出来的新生事物。它是把规模较小的企业资产评估后,将部分生产经营性资产折成等额股份出售给企业内部职工,把原来的公有制改造成内部职工持股的股份合作制。其特点是产权归个人所有,但由集体占有,共同使用,民主管理,按劳分配与按股分红相结合,职工通过劳动和资本的双重结合成为利益共同体。

目前宝鸡峡灌区帝王、阡东两个股份合作供水公司,入股人员以管理站职工,原段斗行水干部为主,吸收当地部分乡镇、村组干部及农民代表参股。股金募集到位后,由发起人召集股东大会,选举董事会5~7人,董事长1人;并选举监事会3~5人,监事长1人。由董事会主持招聘公司经理1人,由经理公开择优聘用工作人员,组建公司管理机构。公司下属各斗及自然村组相应成立用水监事会,对公司经营实施外部监督,并负责渠道工程的管护(如图5-1),形成了决策、经营、监督机构互相独立、互相约束的良好运行机制。例如宝鸡峡帝王输水段股份合作供水公司,由于股东参股,吸收投资,使公司有能力注入

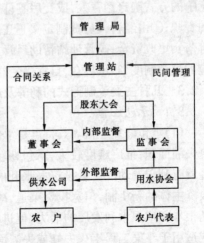

图5-1 股份合作供水公司管理体系

资金来改善工程设施。公司员工参股并作为股东来参与管理,提高了责任心,渠道管护得到进一步落实,工程状况较改制前有大的改观。公司管理人员精干高效,改制前段斗行水干部14人,改制后公司员工减至10人,其中2人还是管理站分流的职工。

5.2.2 斗渠管理体制改革的运作程序

由于斗渠的产权归属在某些灌区仍不明晰,为有利于改制工作顺利开展,灌溉管理局(或管理站)应主动与当地乡镇地方政府取得联系,共同组成斗渠改制工作领导小组,统一领导、统一部署斗渠的改制工作。具体到某一条斗渠,应由管理站职工、乡政府派员及农民代表三方组成的斗渠管委会负责。同时建议:改制合同应以斗渠所属的村组为甲方代表;经营人为乙方代表;斗渠管委会或管理站为监证方代表。改制合同应由县级以上公证处公证后才具有法律效力。其具体运作程序为:①进行渠道工程的固定资产评估,确定改制方案后张榜公布;②各村民小组按条件推选竞标人,由斗渠管委会对竞标人进行资格审查;③采用公开竞价、民主竞争的方式确定经营人,成交后签订合同,明确灌区与经营人双方的责职;④由经营人负责制定渠道工程修复、管护及维修规划,自筹落实更改资金;⑤管理站帮助经营人核定民营水价标准,制定相应的规章制度,昭示群众,自觉接受群众监督。

5.2.3 几种主要改制形式的利弊及成效分析

5.2.3.1 承包经营

(1)承包修复经营。其特点是承包人出巨资修复平毁渠道,恢复失灌面积,推广难度较大,承包期较长(大于20年)。承包修复经营有利于调动经营者投资办水利的积极性,建立起以经营者为投资主体的新机制,拓宽投资渠道,减轻农民负担和国家的负担,从根本上增强水利发展的活力,促进灌区自我发展机制。这种形式适用于斗渠工程年久失修或失灌面积较多,社会贤达愿意出巨资的情况。不利条件是筹资比较困难,修复工程缓慢,尚缺乏完善的配套政策。因而建议:应当对巨额投资者优先提供水利低息贷款和中低产田改造资金。

实行承包修复经营后,承包人委派的灌水员把水送到各农户地头,实行送水、计量、收费、开票"四到户"的一条龙服务,有效地遏制了承包前各村、组层层加码与"人情水",单位面积水费比改制前均有下降。而且承包人的积极性得到充分发挥,管护工作变得更积极主动。放水前抓紧对渠道工程进行维护;行水期间,加强巡渠查水,使渠道管护的责任得到落实。例如洛惠渠灌区大荔县伯土乡安士村村民宋学潮,1997年5月承包了东3支12斗5分渠,自筹资金18万元,修复并衬砌了已失灌近20年的分渠1 800m,引渠2条共800m,重新修复渠系建筑物25座。截至1998年8月,已浇灌2次水,灌溉面积近200hm²,受到了广大群众的好评。

(2)拍卖(竞价承包经营)。其特点是公开竞价,民主、竞争地确定承包人,承包期短(5~10年)。这种方式可在各灌区推广,尤其适用于渠道工程状况较好的斗渠。其不利条件是由于斗渠产权的归属仍不明晰,推广拍卖有一定阻力。核心问题是拍卖金的归属及使用。建议:应尽快制定有关拍卖金的归属及使用方面的政策,并对农民参与及民主监督从制度上予以保证。

改制的成效为:①责任落实,经营者积极性被调动。因斗渠拍卖后,运行管理的好坏直接关系到承包人的投资与收益,因此,承包人能主动和农户联系,引水期间加强巡渠、查水,水量对口率有较大提高。而且渠道的日常养护和管理得到落实。②减少中间环节,降低农民水费负担。改制后,承包人通过灌水员直接面向农户,减少了村、组等中间环节。加之经营者管护渠道的积极性提高,杜绝了淹滩、漫路及渠道跑水,减少了水的浪费,相对降低了农民水费负担。③有利于开展民主、法制化管理。通过改制,确定了经营主体,使农户监督有了具体对象。加上承包合同有明确的管护、经营责任及指标,做到了责、权、利相结合,管、护、建相统一。

5.2.3.2 租赁经营

其特点是：支、斗渠的所有权不变，将使用权、管理权、经营开发权出租；承租者要交付一定的租金或投入一定资金，用于原斗渠改造；租期相对灵活，一般为5～20年。租赁经营适用于具备一定的工程条件，尚能使用，效益较差的支、斗渠。其优点是有利于吸收社会资金，拓宽投资渠道，加快工程改造，落实管护责任，减少中间环节，能真正形成一种责、权、利相统一，建、管、用相结合的良性发展机制。其不足之处是经营者个人一次性投资过大，实际推广有一定难度。

改制成效比较明显的是洛惠渠灌区西干8斗。该斗因有约980m渠道通过冯村镇街道，改制前旧土渠年久失修，垃圾堵塞渠道成灾，致使引水量不足且流速缓慢，过流时间长，决口、跑水、漏水现象屡屡发生。通过公开招标，西干八斗农民刘深友成为承租人。他个人筹款15万元，对该斗渠进行了全面整修，混凝土衬砌总长度达2 300m。对过街980m渠道全部实行U型混凝土衬砌并加盖。通过加大渠道比降，使整条斗渠引水通畅。改制前，由斗口至斗尾需5小时；而改制后仅需18分钟。灌水定额由原先的100m^{3}降至现在的70m^3。当地农民因能浇上及时水，浇水时间大为缩小，对此改制形式大为欢迎。

5.2.3.3 用水者协会

用水者协会是农民自发成立的管水组织，重大问题由会员代表大会讨论表决，充分体现农民群众参与管理与民主监督的原则。该改制形式可在各灌区渠道工程状况较好的斗渠推广。但由于投资主体是广大的受益农户，目前大多数农民家庭经济仍较薄弱，因而对渠道工程投入甚少，渠况无明显改善。建议将用水者协会与股份合作制嫁接，既能解决投入资金的来源问题，又能保证农民群众参与及民主监督的特色。

例如交口抽渭灌区东六支三、四斗，成立用水者协会后，把提高斗、分渠的管理水平作为一项基础工程来抓。通过落实责任、分区包干、落实专护人员等措施,使斗、分渠的管护得到落实。改制后单位面积水费明显下降,农民用水得到保证。协会组织了专业护渠浇地队,使巡渠、浇地、维护、收费等有专人负责。协会仅从每立方米水中提取1分钱作为协会的办公费用及管理人员工资,广大农民群众比较欢迎。

5.2.3.4 股份合作供水公司

其特点是农民参股成为公司股东,公司经营状况直接关系到每个股东的分红,公司所有员工形成利益共同体。今后应努力向广大受益的农户扩股,真正实行股份合作制。同时需进一步规范股份合作供水公司的运作程序及规章制度。这种形式应当在灌区改制中大力推广。其不利之处是缺乏配套的政策指导,核心问题是股金的归属及使用。

总之,在全面推广以上4种主要改制形式中,存在着3个共性的问题:一是承包金、租赁金、拍卖款或股金的归属及使用;二是支、斗渠改制后转化为民营水利,既要确保投资经营者的合法权益和工程的完好率,又要防止经营者的短期行为;三是监督经营者实施保本微利的经营原则,组织与发动广大受益农民参与到灌溉用水管理中来,对经营者实施有效的监督。

5.3 干支渠系及管理机构主系统的改革

干支渠系及管理机构主系统的改革是灌区全面适应市场经济,转变职能,实行企业化管理的重大举措。其应与斗渠的管理体制改革相适应,但难度更大,涉及面更广。

通过试点及论证分析,陕西省水利厅提出"干渠专管,支渠多制,斗渠民营"的新型管理体制。其内涵是由专管机构管理干渠、引水枢纽和泵站;支渠工程既可由专管机构管理,也可实行租赁、承包经营或进行股份合作制运营;斗渠工程实行民管民营。其具体的实施内涵和方案如下。

(1)首先抓学习。通过学习,努力提高灌区领导班子及全体职工对管理体制改革重要性的认识。要使大家能真正认识到:不改革就无法适合市场经济的发展和时代的潮流;不改革,灌区的发展就没有活力和后劲。

(2)精减机构。现行管理机构存在的主要弊端是机构重叠,编员过多,职责不明,办事效率低。要坚持精兵简政,调整机构设置,优化人员配置。对中层干部由任命改为聘任,实行业绩考核,干部任免实行民主推荐选举;对职工实行岗位技能工资,工资分配要和劳动效益挂钩,贯彻多劳多得的原则;对各级管理人员要实行定编、定员、定岗、定责,把责、权、利具体落实到每位职工,通过技术培训,竞争上岗。

(3)转变职能。逐步引入企业管理和逐级成本核算的办法。加强灌区配水机构对渠首枢纽及干支渠系的水量调配、流量监测、水费核算及机、闸维护等职责。特别要强化基层管理站的职能。它是专管机构和民营者(租赁者、承包者等)的联接纽带。其今后的职能,除有效地对本站范围内的干支渠工程和输配水设施进行管理外,主要要做好技术服务。即向斗渠承包者提供渠道维护、衬彻、建筑物修复、田间沟渠的规划、设计、施工等技术咨询和技术培训,以及指导广大农民科学用水,推广高产节水的灌水技术等。

(4)积极引进现代管理技术,努力提高管理水平。随着市场经济的发展,水管单位将逐步走上水利产业化道路。要不断地开拓、占领和巩固供水市场,必须尽快掌握河源来水、田间作物需水、土壤墒情动态及渠系输水、配水等信息,以快速作出最佳的水量调配决策,使有限的灌溉水资源获得最大的增产效益。为此,必须借助于计算机技术,用水信息的采集、传输、处理技术,节水灌溉预报、决策以及渠系水量调配等专家系统技术,才能做到精确灌溉。同时也可将灌区计划用水管理真正落到实处。此外,还可根据各地作物、土壤、气候特性,准确作出灌溉制度模拟和高产节水的田间灌溉技术决策,指导管理人员对农民科学用水、适时灌水提供咨询信息。

(5)千方百计挖掘潜力,搞好多种经营。各灌区应利用各自的优势和特点,充分利用水土资源、房屋、设备、技术、资金、地理位置、人文、历史遗迹等,积极创办特色旅游和绿色企业,努力扩大城镇及工业供水,积极发展小水电等多种经营实体,分流管理职工,减员增效,降低供水成本,增加灌区财务收入。

(6)积极鼓励职工承包经营支、斗渠。这样做既有利于管理局职工分流,降低供水成本,又可发挥职工管理经验丰富、专业知识和组织纪律性强的人才优势,还有利于支、斗渠改制与分流职工结合,促进职工通过自身的努力和劳动,来提高个人的经济收益以及灌溉管理水平。

5.4 民营水价的核定原则及方法

借鉴、依据国务院(1985年)94号文件"水利工程水费的核定、计收和管理办法"中的政策规定和核定原则,即水费标准应在核算供水成本的基础上确定。供水成本包括工程的运行管理费、大修理费、固定资产的年基本折旧费,以及其他按规定应计入成本的费用。同时参照各灌区管理体制改革的实际,特提出以下几点民营水价的核定办法。

5.4.1 民营水价的核定原则

民营水价的核定原则为:一是渠道工程状况逐年得到改善,继而得到增值;二是坚持包本微利的原则;三是合理补偿投资者的本息及劳动所得;四是确保灌溉管理水平不断提高;五是贯彻节约用水和增产增收的原则。

5.4.2 民营水价的核定方法

民营水价采用以下公式核定:

$$F = (k + d + c)/W \qquad (5\text{-}1)$$

式中　　F——民营水价标准,元/m³;

　　　　k——承包经营者的年投资,万元;$k = K/N$,其中 K 为民营工程投资总额(万元),N 为投资回收年限(年);

　　　　d——贷款年利息,万元;$d = 1/2 \cdot K \cdot I$,其中 I 为工程贷款年利率。

　　　　c——田间工程的年运行费,包括经营者及护渠、巡渠、浇地人员的工资,田间工程的维修费,万元;若为单斗承包,还应分摊上一级管理段部分人员的工资;

　　　　W——多年平均的斗口引水量,万 m³。

按此公式计算出来的为民营水价的最高限价,经营者可在此限价范围内自主浮动,自主经营,自负盈亏。

农民实际支付的水费由国营水费和民营水费两部分组成。为使水价公平、合理,必须接受广大受益农民的监督。即经营者必须做到"四到户,一公开"。"四到户",即送水、浇地、收费、开票到农户;"一公开",即所收的水费、灌溉的水量、灌溉的面积以及灌溉的作物等要定时张榜公布,自觉接收受益农民的监督[100,101,116,135~137]。

5.5　灌区管理体制改革专家系统的知识表示

灌区管理体制改革专家系统大量应用文字表述的知识,十分适用于框架集的知识表示方法。而对民营水价的核定,则采用规则组库的知识表示方法。各输入、输出的黑板结构如图 5-2。

/* 框架库提问集 */

灌区体制改革＝灌区管理体制改革总论,斗渠管理体制改革,
　　　　　　　　骨干渠系与主系统改革,水费的核定与计收

图 5-2　各输入、输出的黑板结构

斗渠管理体制改革＝为什么要进行斗渠体制改革,斗渠改制
　　　　　　　　　有哪几种主要类型,斗渠改制的运作及
　　　　　　　　　程序,存在问题及改进意见

骨干渠系与主系统改革＝为什么要进行主系统的改革,改革
　　　　　　　　　　的基本思路与设想

水费的核定与计收＝为什么要核定水费,水费核定的政策依

据,核定水费的原则,水费核定的计算

END /* 提问集结束标志 */

FRAME1 管理体制改革 /* 框架 1 */

STATE 灌区体制改革 /* 状态槽 */

IF 灌区体制改革＝灌区管理体制改革总论 THEN GQGGZL

IF 灌区体制改革＝斗渠管理体制改革 THEN DQTZGG

IF 渠区体制改革＝骨干渠系与主系统改革 THEN ZXTGG

IF 灌区体制改革＝水费的核定与计收 THEN SFHD

PROCESS DQTZGG /* 去子框架 2 */

PROCESS ZXTGG /* 去子框架 3 */

PROCESS SFHD /* 去子框架 4 */

PROCESS GQGGZL /* 处理槽 */

ADVICE （略）

FRAME2 DQTZGG /* 子框架 */

STATE 斗渠管理体制改革

IF 斗渠管理体制改革＝为什么要进行斗渠体制改革 THEN DQTG

IF 斗渠管理体制改革＝斗渠改制有哪几种主要类型 THEN ZYLX

IF 斗渠管理体制改革＝斗渠改制的运作及程序 THEN YZCX

IF 斗渠管理体制改革＝存在问题及改进意见 THEN GJYJ

PROCESS DQTG

ADVICE （略）

PROCESS ZYLX

ADVICE （略）

PROCESS GJYJ

```
    ADVICE（略）
  PROCESS  YZCX
    ADVICE（略）
  FRAME3 ZXTGG  /* 子框架 3 */
  STATE   骨干渠系与主系统改革
IF 骨干渠系与主系统改革 = 为什么要进行主系统的改革
THEN ZXDGG
IF 骨干渠系与主系统改革 = 改革的基本思路与设想
THEN SLYSX
  PROCESS  ZXDGG
    ADVICE（略）
  PROCESS  SLYSX
    ADVICE（略）
  FRAME4  SFHD
  STATE   水费的核定与计收
IF 水费的核定与计收 = 为什么要核定水费   THEN 核定水费
IF 水费的核定与计收 = 水费核定的政策依据  THEN 政策依据
IF 水费的核定与计收 = 核定水费的原则    THEN 水费原则
IF 水费的核定与计收 = 水费核定的计算    THEN 核定计算
  PROCESS  核定水费
    ADVICE（略）
  PROCESS  政策依据
    ADVICE（略）
  PROCESS  水费原则
    ADVICE（略）
  PROCESS  核定计算  /* 去规则组库 */
  END /* 框架库结束标志 */
```

/* 规则组库 */

DEFINES /* 宏代换 */

INVT 请输入水利工程总投资(万元)

F_1 请输入固定资产形成率(%)

FIN 水利工程总的固定资产(万元)

LAI 请输入农民投劳折资(万元)

DIS 请输入固定资产的年基本折旧率(%)

OPS 请输入工程年运行管理费(万元)

ZJF 固定资产的年基本折旧费(万元)

DXF 工程大修理费(万元)

F_2 请输入工程年大修理费率(%)

W_1 请输入多年平均的斗口引水量(万 m^3)

W 多年平均的斗口引水量(万 m^3)

SF 水费单价(元/m^3)

$COST_1$ 农田供水成本(万元)

COST 农田灌溉供水成本(万元)

INVM 请输入经营人的工程总投资(万元)

WM 请输入该民营水利工程多年平均的斗口引水量(万 m^3)

SFM 民营水费单价(元/m^3)

N 请输入民营投资的回收年限(年)

C 请输入民营水利工程年运行管理费(万元)

D 请输入投资贷款的年利率(%)

END

FUNCTION 核定计算 SF COST W SFM

END

MODE10 INVT F_1 LAI THEN FIN

```
         MATH END _ TMP
         FIN = (INVT − LAT) * F_1 /100;
MODE20   INVT F_2 THEN DXF
         MATH END _ TMP
         DXF = INVT * F_2 /100;
MODE30   FIN DIS THEN ZJF
         MATH END _ TMP
         ZJF = FIN * DIS/100;
MODE40   OPC ZJF DXF THEN COST_1
         MATH END _ TMP
         COST_1 = OPC + ZJF + DXF;
MODE50   COST_1 W_1 THEN SF
         MATH END _ TMP
         SF = COST_1/W_1
MODE60   COST_1 THEN COST
         MATH END _ TMP
         COST = COST_1 ;
MODE70   W_1 THEN W
         MATH END _ TMP
         W = W_1
MODE80   INVM N D C WM THEN SFM
         MATH END _ TMP
         SFM = (INVM/N + INVM * D/100 + C)/WM
         END _ KB
```

第六章 陕西省旱情决策专家系统

6.1 陕西省旱情决策专家系统的结构及主要内容

陕西省旱情决策专家系统属于全省抗旱信息管理系统中的一个重要的子系统。它是专门为陕西省政府抗旱办公室进行全省作物旱情宏观决策所开发、研制的一个专用软件。由于全省旱情决策的内容非常庞杂,为便于开发与推广应用,本系统将全省的旱情决策概化为如图 6-1 所示的 7 个主要模块,用户可任意反复调用。

6.1.1 陕西省自然地理特征概述

陕西省地处我国中纬度地带,由于受东南季风环流的影响,加之陕西省的位置偏于西北内陆,限制了海洋水汽的输送,所以,夏热冬冷的大陆性气候特点比较突出。秦岭于陕西省中部横贯东西,分野南北,对水汽的输送起着天然屏障作用,是关中和陕南自然地理和气候上的分野。关中属于暖温带气候,而陕南则属于北亚热带气候。因此,特定的辐射、大气环流和海陆相对位置,决定了陕西省气候具有温带大陆性、半湿润和半干旱季风气候的特征。干旱的多发性是陕西省农业生产中不可忽视的重要特点,是一

图 6-1 旱情决策的 7 个主要模块

个长期制约农业高产稳产的不利因素。这就要求人们必须树立长期抗旱夺丰收的思想,坚持不懈地"因旱设防",认真总结历史经验教训,因地制宜地建立"防、抗、避、治"相结合的对付干旱灾害的总体战略体系。这是进行全省旱情决策的一个基本出发点[138~140]。

6.1.2 分区评述各主要作物旱情对策

根据陕西省农业生产和气象、地理的自然特点,以及多年来各地区农作物遭受旱灾的情况,将全省分为 9 个不同的干旱区域,分别就各区的农业受旱特点作出简述。根据用户选择的作物类型及月份,即可对该作物所对应的生育阶段的旱情对策作出分析与概述(见图 6-2),为陕西省抗旱办公室及时地作出相应的抗旱决策提供可靠的依据。

该模块根据全省各地的主要作物类型,共分析考虑了冬小麦、春小麦、夏玉米、春玉米、糜谷、油菜、棉花、水稻及苹果等 9 种主要农作物。

假如用户用鼠标移动光标,选择关中东部,屏幕即显示关中东部重夏旱区及所辖的范围、干旱出现的频率、气候特点、作物生长类型及应当采取的抗旱措施等。根据用户选择的作物类型及键入的具体月份,计算机自动搜

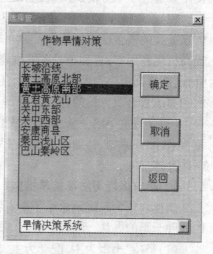

图 6-2 分区评述作物旱情对策模块

索这个月份该作物所对应的生育阶段,并依据作物的灌溉制度、生长规律及多年受旱状况,对旱情作出决策。例如用户键入 4 月,屏幕即显示:"冬小麦正处于拔节孕穗期,为作物需水关键期,需水强

度大,灌溉对增穗增粒有显著作用。有灌溉条件的应抓紧时机浇拔节水"。同时,屏幕还显示,此时"棉花为播种出苗期,若土壤没有冬灌,墒情不足,播前应泡地,以利于全苗。并需精细整地,适时播种,提高播种质量"[138~140]。

6.1.3 抗旱服务队建设

抗旱服务队建设是改革抗旱经费使用办法的一项重要措施。该模块概述了 3 个方面的内容:

(1)建立抗旱服务组织的必要性。主要从适应市场经济需要,增强服务功能;发展和完善农业社会化服务体系;强化事业服务功能和抗灾减灾的重要措施;改革抗旱资金使用管理;提高抗旱资金使用效益等 5 个方面加以概述。

(2)改革抗旱经费使用办法,建立区、乡抗旱服务队的好处。国家下拨的资金变成固定资产,可长期发挥效益,节省设备投资,提高机组利用率;有利于设备的维修、管理和更新。实行有偿经营管理,能提高浇地速度,降低成本,便于开展多种经营,有利于巩固水利灌溉管理服务站的建设。

(3)今后抗旱服务队建设的举措。主要介绍抗旱服务队的建设重点、服务原则、补助标准与开支范围、国有财产管理等方面的一些具体措施。

6.1.4 旱农保墒与防旱抗旱措施

该模块较为系统地总结了全省各地近年来所创造和总结出来的战胜干旱的办法、经验和途径。归纳起来为:

(1)坚持"小型为主、配套为主、群众自办为主"的"三主"方针,充分发动群众,大搞农田水利的基本建设。

(2)狠抓改土,不断调节土壤水、肥、气、热状况和水、旱之间的矛盾,增强抗旱保墒能力。

(3)因旱设防,合理调整作物布局。

(4)造林种草,改变气候,防止水土流失。

(5)耕作保墒,减少农田蒸发与渗漏损失[141]。

6.1.5　陕西省灌溉节水对策

该模块主要包括两个大的方面:第一,充分利用当地降水,努力提高降水、土壤水和作物耗水间的转化率;第二,合理、高效地利用已开发控制的水资源,并从灌区技术改造、发展节水型灌溉农业、推广节水节能的先进灌水方法、加强水情预报、全面实行计划用水、建立统一的供水网络系统、大力发展引洪淤灌技术等7个方面进行了论述[133]。

6.1.6　关中地区水资源统一调配的设想

关中地区属黄河流域中部,全区水资源总量占全省的16.4%,人均水量413m³,每公顷平均水量仅为3 765m³,是陕西省水资源十分缺乏的地区。但关中地区灌溉历史悠久,又是陕西省主要的粮、棉、油生产基地。整个关中年生产粮食占全省总产的62%,棉花产量占全省的99%,油菜籽产量占全省的65%。可目前由于各灌区工程老化失修,加上河流泥沙影响,主干河流缺少控制调节能力,水源紧缺,关键水不能保证,管理水平不高,灌溉水量浪费严重。而且,各灌区间河源来水及供需矛盾不均。因此,迫切需要对关中地区水资源进行统一管理,实行统一规划,联合调度。对老灌区的灌排工程应进行更新改造,加强灌区的计划用水管理,提高现代化管理水平。大力推行田间节水、节能、增产的先进灌水技术,提高水的利用率[142]。

6.1.7　分区评述农业生产结构优化

农业生产结构,指农业生产系统中的种植业,养殖业,农、牧、副产品加工业,以及产品销售业等构成要素,以及这些要素在生产中的比重,劳力、资金的配置和各种物质、能量在各要素之间的转移与循环途径。它直接影响生态系统的稳定性以及资源的转化效率及系统生产力。

合理的农业生产结构表现为:①能充分利用当地的光、热、水等自然资源及社会资源的优势,消除不利影响,尽可能多地把自然资源的生产潜力转化为现实的生产力;②能维持生态平衡,指系统输入与输出平衡,农、林、牧、副、渔业比例合理,结构平衡,生物种群组成比例合理;③具有系统的多样性和稳定性。为此,必须依据各地区的自然资源优势来布局农业生产。根据全省各地的农业区划和自然地理及地貌特征,首先将全省分为 3 个一级分区(见图6-3)。各一级分区中又可分若干二级分区。如用户键入陕北黄土高原,根据地貌与农业区划,又分为长城沿线风沙区和丘陵沟壑区 2 个二级分区。丘陵沟壑区还可进一步细分为陕北黄河沿岸区,陕北中南部区及陕北西部区 3 个三级分区。而对陕北中南部区又分渭北黄土高原西部区、陕北黄土高原南部区、陕北黄土高原中部区和沙化

图6-3　全省农业区划的 3 个大类

黄土丘陵沟壑区 4 个四级分区。

该模块对各个区域的气候特点、地形地貌、主要农作物以及农业发展方向等作出概述,以便分区抗旱决策时参考。整个陕西省旱情决策专家系统的结构如图 6-4[138~140]。

6.2　陕西省旱情决策专家系统知识库框架

/* 提问集 */

旱情决策系统=(自然特征概述,作物旱情对策,抗旱服务队建设,
　　　　　　　　旱农保墒措施,灌溉节水对策,水资源调配,生产

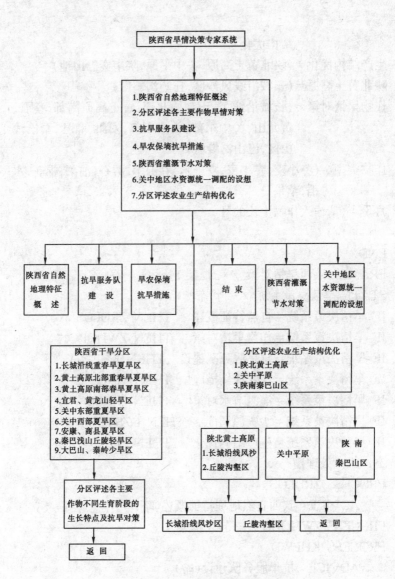

图 6-4　陕西省抗旱决策专家系统结构

結构优化)

生产结构优化＝(陕北黄土高原,关中平原,陕南秦巴山地)

陕北黄土高原＝(长城沿线风沙区,丘陵沟壑区)

作物旱情对策＝(长城沿线,黄土高原北部,黄土高原南部,宜君、黄龙山,关中东部,关中西部,安康、商县,秦巴浅山区,巴山秦岭区)

作物类型＝(冬小麦,春小麦,夏玉米,春玉米,糜谷,油菜,棉花,水稻,苹果)

月份＝(请输入作物生长的月份)

END

FRAME1 陕西旱情对策 /＊ 框架 1 ＊/

STATE 旱情决策系统 /＊ 状态槽 ＊/

IF 旱情决策系统＝自然特征概述　THEN ZRDLGS

IF 旱情决策系统＝作物旱情对策　THEN ZWHQDC

IF 旱情决策系统＝抗旱服务队建设　THEN KHFWD

IF 旱情决策系统＝旱农保墒措施　THEN HNBSCS

IF 旱情决策系统＝灌溉节水对策　THEN GGJSDC

IF 旱情决策系统＝水资源调配　THEN GZSZY

IF 旱情决策系统＝生产结构优化　THEN NYSCYH

/＊ 处理槽 ＊/

PROCESS ZRDLGS

　　ADVICE 陕西自然地理特征概述(略)

PROCESS ZWHQDC /＊ 转子框架 4 ＊/

PROCESS KHFWD

　　ADVICE 抗旱服务队建设(略)

PROCESS HNBSCS

　　ADVICE 旱农保墒与防旱抗旱措施(略)

PROCESS GGJSDC
    ADVICE　陕西省农业灌溉节水的对策（略）
PROCESS GZSZY
    ADVICE　关中地区水资源统一调配的设想（略）
PROCESS NYSCYH /* 转子框架2 */
    /* 转子框架2 */
FRAME2 NYSCYH
STATE 生产结构优化
IF 生产结构优化=陕北黄土高原　　THEN SBHTGY
IF 生产结构优化=关中平原　　　　THEN GZPY
IF 生产结构优化=陕南秦巴山地　　THEN SNQBSD
PROCESS SBHTGY /*转子框架3 */
PROCESS GZPY
    ADVICE（略）
PROCESS SNQBSD
    ADVICE（略）
    /* 子框架3 */
FRAME3 SBHTGY
STATE　陕北黄土高原
IF 陕北黄土高原=长城沿线风沙区　　THEN CCFSB
IF 陕北黄土高原=丘陵沟壑区　　　　THEN QLGHQ
PROCESS　CCFSQ
    ADVICE　陕北黄土高原长城沿线风沙区（略）
PROCESS　QLGHQ
    ADVICE　陕北黄土高原丘陵沟壑区（略）
    /* 子框架4 */
FRAME4 ZWHQDC
STATE 作物旱情对策

```
IF  作物旱情对策＝长城沿线      THEN CCYXQ
IF  作物旱情对策＝黄土高原北部  THEN GYBBQ
IF  作物旱情对策＝黄土高原南部  THEN GYNBQ
IF  作物旱情对策＝宜君、黄龙山   THEN YJHLSQ
IF  作物旱情对策＝关中东部      THEN GZDBQ
IF  作物旱情对策＝关中西部      THEN GZXBQ
IF  作物旱情对策＝安康、商县     THEN AKSXQ
IF  作物旱情对策＝秦巴浅山区    THEN QBQSQ
IF  作物旱情对策＝巴山秦岭区    THEN BSQLQ
DEFQULT   作物类型与决策
PROCESS CCYXQ
    ADVICE   长城沿线重春旱夏旱区(略)
PROCESS GYBBQ
    ADVICE   黄土高原北部重春旱夏旱区(略)
PROCESS GYNBQ
    ADVICE   黄土高原南部春旱夏旱区(略)
PROCESS YJHLSQ
    ADVICE   宜君、黄龙山轻旱区(略)
PROCESS GZDBQ
    ADVICE   关中东部重夏旱区(略)
PROCESS   作物类型与决策(略)
    END
```

第七章　小结与讨论

7.1　主要研究成果

应用计算机前沿技术——人工智能中的专家系统技术,我们相续开发出 4 个不同层次的农业专家系统。即:

7.1.1　灌溉预报与节水灌溉决策专家系统

该系统用于田间,可实际指导农民进行节水灌溉的实时预报与灌水决策。用户只需根据人机对话提示,相继输入当地气象参数、土壤类型、作物种类及土壤初始含水量,计算机即可通过推理,作出什么时间灌水、灌多少水最合适的决策,并显示本次灌水的费用及增产效益;还可提出采用何种灌水策略最经济,即采用充分灌溉还是限额灌溉等决策依据,以具体指导农民实施科学的节水灌溉方案。

7.1.2　灌区计划用水与水量调配决策管理系统

该系统用于某一区域(或灌区)的计划用水管理及渠系水量调配决策。在实际用水前,可通过供需水量的平衡计算,快速、准确地制定出各级用水计划,包括年度轮廓用水计划、全渠系用水计划、干支渠段(管理站)用水计划和用水单位(配水斗)用水计划。在实际用水时,可模拟灌区实际的运行工况,迅速作出按需配水、按比例配水以及优化配水的渠系水量调配的决策方案。一旦某个时段用水结束,该系统即可准确地作出该时段的计划用水总结,包括灌溉水量的核定、水费计收、灌溉面积的核实以及各级渠道水的利用系数等。

7.1.3 灌区管理体制改革专家系统

灌区管理体制改革是我国各灌区为适应市场经济发展,提高自身发展活力,促进灌区水利经济良性循环的一件新生事物。为使这一项创新性的事业能不断发展,采用用户提问、专家咨询的方式,详细分析、总结了斗渠管理体制改革的意义及其必要性;分别阐述了承包经营、租赁经营、拍卖使用权(经营权)、用水者协会以及股份合作供水公司等5种主要改制形式的内涵、各自的特色、改制的成效及运作的程序,还包括各种改制形式的利弊分析、改制实践中存在的主要问题及今后的改进意见,以及民营水价的核定原则与办法。通过分析现行干支渠系及管理机构主系统存在的主要问题,提出了主系统改革的内容及其思路。通过对该系统的咨询,用户能得到相应的启示、帮助和提高。

7.1.4 陕西省旱情决策专家系统

该系统包括:全省的自然地理特征描述,按全省九大自然区域,分区评述的各主要作物的抗旱对策,抗旱服务队建设,旱地保墒与防旱抗旱措施,全省灌溉节水对策,关中地区水资源统一调配设想,以及分区评述农业生产结构优化等7个大的框架。该系统为陕西省政府抗旱办公室对全省各地区的作物旱情作出宏观决策提供了科学的依据及基本的对策。

通过对以上4个农业专家系统的研制与开发实践,我们认为中国科学院合肥智能研究所开发的雄风系列3.1专家系统开发工具是一个很好的专家系统开发平台。其特点是在 DOS 环境下编译,在 Windows 环境下运行。该开发工具特别适用于描述性知识,因它采用综合知识体,即框架库＋规则组库的知识表示技术。采用该开发工具来开发有关的农业专家系统,可达到事半功倍的效果。但对运算过程复杂,有较多的打印输出,较频繁的数据输入、输出的情况,该开发工具就显得力不从心。这时需采用其他计算机高级语言开发、编译后,由该专家系统开发工具来加以调用的方法。

7.2 今后的研究设想

由于时间紧,我们仅对农业专家系统在节水灌溉管理领域的应用作了初步的尝试。值得欣慰的是,开发智能型的、依据知识进行推理,能切实解决农业生产中实际问题的农业专家系统是完全可能的,而且今后应用前景将更为宽广。特别是面对中央对西部大开发的战略部署及21世纪农业新的科技革命,农业专家系统的研制开发与推广应用,将是传统农业向现代化农业转变的重要标志,是科教兴农的重大突破,为把先进农业技术送到亿万农民手中开辟了一条崭新的途径。与其他推广手段相比,农业专家系统具有无比的优越性。但是,就我们所开发的4个不同层次的专家系统而言,还有许多地方需要完善和改进,现将今后的研究设想在此提出来与读者共同讨论。

(1)灌溉预报与节水灌溉决策专家系统。应进一步从农民实际应用的角度出发,对灌溉预报模型依据各地实际的气象、土壤、作物等参数,通过数学统计分析,在满足生产实际预报精度的前提下,作进一步简化。对决策目标的设置应进一步适应农民对实际灌溉决策的需求。对知识库应当作进一步扩展,增强容错性与非确定性推理,以避免出现因用户对某些参量不确知而造成推理依据不足,无法得出决策方案的现象。特别是人机对话的提示,应尽可能简明扼要。

(2)灌区计划用水与水量调配决策管理系统。该系统涵盖了灌区计划用水管理的3个主要方面,即用水前编制各级用水计划、实际用水时的渠系水量调配和阶段用水结束时的计划用水总结。而且该系统当时是采用 Quick Basic 高级语言(在中文 DOS 环境下)开发、编译的,现在 Windows 环境下调用。今后必须对此软件系统进行较大的改进,计划采用 Visual Basic 语言直接在 Windows

环境下编程、编译,然后由专家系统开发工具调用。

(3)灌区管理体制改革专家系统。按世界银行官员的提法,我国灌区管理体制改革目前已处于世界领先地位。在我国灌区管理体制改革中,陕西关中灌区的管理体制改革更具特色。目前已推广实施的 5 种不同的改制形式,使改制工作充满了活力与生机。在今后关中灌区更新改造世界银行贷款项目执行期(2000～2004年)内,世行及省项目办已委托西北农林科技大学对管理体制改革这项工作实施监测评价。该系统将在关中九大灌区今后的改革实践中加以实际应用,通过实践与反馈信息,应不断对知识库加以补充与改进。

(4)陕西省旱情决策专家系统。该系统 1995 年结题,已实际交付陕西省抗旱办公室,对全省的抗旱决策进行宏观指导。应根据省抗旱办在实际使用中的反馈意见,对该系统加以完善与改进。而且,按规划,今后各地(市)、各县的抗旱办将与省抗旱办的微机联网,对各县的旱情决策内容将进一步细化,可一直深入到各乡(镇)及各个村组。这样将大大增强旱情决策的精度和实用性。

展望 21 世纪新的农业科技革命,面对西部大开发的极好机遇,应充分发挥西北农林科技大学综合农林科技实力的优势,迅速占领 21 世纪高新技术的制高点——农业知识工程,把我国农业科学推向一个新的发展阶段。

目前我国的科技成果转化率接近 40%,也就是说国内的许多科技成果尚未应用于生产,如何提高科技成果的转化率成为进一步发展农业的"瓶颈"。农业生产的分散性和生物生产的区域性,决定了农业必须要有一个强大的、对科技成果能进行区域检验和推广到农村的体系。但国内自 20 世纪 50 年代开始,在计划经济体制下建立的相当完善的 4 级农业科技推广网,到目前已"线断、网破、人散","社会化农业服务体系"的建设步履维艰,农业科技产业更是幼弱无力。转化环节如此,转化率如何能提高!

　　因此,新的农业科技革命必须跨越农民文化科技素质和农村社会化服务体系两者均较为低下的严重制约,即在提高农民素质方面要有大的突破。要切实稳步提高农民的文化水平,强化农民的科技意识,激励农民参与农村的发展。

　　21世纪的农业科技革命,其特点是通过农业科学与信息技术的交融,以技术创新为先导,促进农业由传统的资源依附型向现化智能依附型的发达产业转化,即必须用高新技术来改造传统农业。为此,研究、推广、应用农业专家系统可作为跨越农民文化科技素质和农村社会化服务体系较为薄弱的突破口,尽快迎头赶上世界知识经济与技术竞争的焦点——"前沿高新技术"。这当中,西北农林科技大学应当充分发挥自身的综合农业科技优势,站在战略高度来综合、集成从种到收,从生态环境、资源优化配置、农业生产结构调整到农产品市场预测、大田作物的田间管理及节水灌溉技术、病虫害防治及农业机械选用等配套的农业科技知识,让农业专家群体的经验,通过知识工程师的努力,转化为农业专家系统的知识库,代替各个不同学科的农业专家群体来深入农村、农户、田头,切实地帮助、指导农民搞好科学种田,获取用科技知识来发家致富的金钥匙。

　　为此,西北农林科技大学应当尽快组建"农业知识工程研究中心",把杨凌原七大单位从事农业知识工程开发的中青年科技人员集中在一起,分工负责,深入到各不同学科的农业专家中去,协作攻关,把老专家多年的经验积累加以提纯、加工,固化为知识库。比如,结合西北地区水资源匮乏、土地贫瘠和潜在土壤盐碱化的特点,通过基因工程,培育出抗逆性、耐贫瘠、耐盐碱、营养价值高的品种,并根据各地自然地理特征,开发出作物品种选育专家系统;根据各地的气候、土壤、作物和当地的耕作条件,开发出综合性的农业专家系统,包括配方施肥、高效的作物栽培管理技术、灌溉预报与节水灌溉技术、病虫害预测及防治措施等。该专家系统应是多学科集成的,是在充分考虑当地农业资源可持续发展与生态环境良性循环的前提下,能使资源的投入与产出达到最高效。同时,还应考虑到市场预测、农产品营销以及农业生产结构的调整等。要真正使农民依据当地的自然条件,通过对农业专家系统的咨询,能切实脱贫致富。21 世纪的农业科技革命必须使农业逐步摆脱小农经验式的决策,而逐步走上知识密集型的"智能农业"的道路。这当中研制、推广、应用农业专家系统可起到突破口的作用。

加快实施我国农业信息高速公路之一的"金桥"工程,使千家万户分布地域广、居住高度分散、交通信息闭塞的农民,通过计算机网络能快速、及时地获取他们最感兴趣的农业科技信息,如高产、高效、农作物田间栽培管理技术,病虫害预防,灾害性气候预报,以及各地农产品销售价格及市场需求等信息。可见,随着我国农业信息网络的建成与发展,农业专家系统的推广、应用前景将会更加广阔。

国家要加大对农业科技推广和教育的投入。目前国家对农业科研的投入,长期以来占农业总产值的比例不到 0.2%,远远低于一般发展中国家(如印度为 0.7%),更远低于发达国家(2%～3%)。要以各省的高等农业院校为推广、示范基地,加大下拨农业科技推广的专项经费,加强、加大专业的农业推广科技队伍。现阶段,应当充分利用各地的有线、无线广播,各县自办的教育电视台,强化对农民群众宣传、示范高科技农业知识的媒介作用。要通过踏踏实实的长期工作,使我国农村逐步实现农业现代化,使粮食产量能再持续攀登 3 个台阶(500 亿 kg 为一个台阶),到 2030 年人口达到 16 亿峰值时,争取粮食年综合生产能力达 6.5 亿 t,为保障世界粮食及食物安全体系作出应有的贡献。

参考文献

1 山仑,陈国良.黄土高原旱地农业的理论与实践.北京:科学出版社,1993

2 《中国水利区划》编写组.中国水利区划.北京:水利电力出版社,1989

3 陈学仁编著.中国水利与粮食生产.北京:中国水利水电出版社,1997

4 许志方.节水农业的战略认识和对策.中国农村水利水电,1996(1~2)

5 钱正英主编.中国水利.北京:水利电力出版社,1997

6 康绍忠,蔡焕杰主编.农业水管理学.北京:中国农业出版社,1996

7 汪志农,薛鼎武.关中灌区斗渠管理体制改革初析.中国水利,1999(2)

8 李英能.节水农业新技术.南昌:江西科学技术出版社,1998

9 上官周平,邵明安.21世纪农业高效用水技术展望.农业工程学报,1999,
   15(1)

10 薛亮,方瑜著.农业信息化.北京:京华出版社,1997

11 王怀惠.基于网络环境下的农业科技信息系统的建设与发展.模式识别
   与人工智能,1999(12)

12 汪志农,熊运章.节水灌溉决策支持系统的研究.西北农业大学学报,
   1998(26)

13 蒋文兰,陈士辉.以信息技术开创甘肃现代化农业文明新纪元.模式识别
   与人工智能,1999(12)

14 卢良恕.21世纪我国农业科学技术发展趋势与展望.世界农业,1998
   (10)

15 何华灿.人工智能原理.北京:清华大学出版社,1986

16 何华灿.人工智能基础.北京:清华大学出版社,1988

17 N.J.尼尔逊(美).人工智能原理.北京:科学出版社,1983

18 林尧瑞,张钹等.专家系统原理与实践.北京:清华大学出版社,1988

19 王克宏,汤志忠,胡蓬等编著.知识工程与知识处理系统.北京:清华大学
   出版社,1994

20 史忠植.知识工程.北京:清华大学出版社,1988

21 P.H.温斯顿著(美).人工智能.北京:科学出版社,1987

22 张守刚,刘海波.人工智能的认识问题.北京:人民出版社,1984

23 吴信东,邹燕编著.专家系统技术.北京:电子工业出版社,1988

24 潘旅家著(法),刘尊全等译.人工智能的工业系统——生产工业.北京:中国友谊出版公司,1987

25 赵瑞清等编著.知识表示与推理.北京:气象出版社,1991

26 赵瑞清等编著.专家系统原理.北京:气象出版社,1987

27 冯博琴.实用专家系统.北京:电子出版社,1992

28 施鸿宝,王秋荷.专家系统.西安:西安交通大学出版社,1991

29 陈兆乾,潘全贵等.TURBO PROLOG 程序设计.南京:南京大学出版社,1993

30 符福恒.信息管理学.北京:国际工业出版社,1996

31 孙其政,李谊瑞.计算机信息系统设计实现与应用.成都:四川科学技术出版社,1991

32 杨冀宏.用 PROLOG 和 TURBO PROLOG 语言开发专家系统.北京:航空工业出版社,1990

33 刘有才,刘增良.模糊专家系统原理与设计.北京:北京航空航天大学出版社,1996

34 R. E. Plant, R. D. Horrocks. etc. Calex/ Cotton: An Integrated Expert System Application for Irrigation Scheduling. American Society of Agricultural Engineering (ASAE), 1992

35 Colomb R. M., B. Hearn, etc. Expert Decision Support for Cotton Pest Management. CSIRO. North Ryde NSW2113, Australia. 1988

36 Liu H., T. W. Fermanian, etc. Expert System for Planning the Establishment of Turf. Agronomy J. 1991, 83(1):140~143

37 Lemmon H. Comax: An Expert System for Cotton Crop Management. Science, 1986, 233(4759):29~33

38 Luger G. E. and W. A. Stubblefield. Artificial Intelligence and the Design of Expert System. Redwood, 1989

39 Plant R. E. An Integrated Expert Decision Support System for Agricultural Management. Agricultural Systems, 1989, 29(1):49~66

40 Plant R. E. An Artificial Intelligence Based Method for Scheduling Crop Management Actions. Agricultural Systems, 1989, 31(1):127~155

41 Plant R. E. , T. A. Kerby,etc. Using Knowledge-based Regression for Fore-casting in Calex. AI Applications in Resource Management,1990, 4(2):66 ~72

42 Plant R. E. and R. S. Looms. Model-Based Reasoning for Agricultural Expert Systems. AI Applications,1991, 5:17~28

43 Plant R. E. and N. S. Stone. Knowledge-Based Systems in Agriculture. Now York:Mc Graw-Hill,1991

44 Saunders. M. C. ,C. W. Haessler,etc. Grop ES: An Expert System for Agriculture in Pennsylvania. AI Applications,1998,2:13~19

45 Srinivasan K. , B. A. Engel,etc. Expert System for Irrigation Management (ESIM). Agricultural Systems,1991, 36(3):297~314

46 Caridady Qcerin JM. Expert System in Agriculture 6th International of Congress for Computer Technology in Agriculture. Wageningen, June, 1996

47 Barrett JR, Jones DD Edited. Knowledge Engineering in Agriculture. ASAE. Technical Editor:Pamela Devore Hansen, August,1989

48 Ricardo Delgado. SEPA. An Expert System for Farm Planning. Sixth International Conference on Computers in Agriculture. Cancun, Mexico, June, 1996

49 Emanel-Sheikh, Jon Sticklen etc. Neper Wheat: Integration Expert Systems and Crop Modeling Technology. Sixth International Conference on Computers in Agriculture. Cancun, Mexico,June, 1996

50 J. J. Ferguson,M. B. Thomas,etc. Citrus Management and Diagnostic Software,Sixth International Conference on Computers in Agriculture. Cancun, Mexico,June,1996

51 Chandrase Karan, B. Genetic Tasks in Knowledge-Based Reasoning: High-level Building Blocks for Expert System Design. IEEE Expert,1986,1(3): 23~30

52 Gomez F. and B. Chandrase Karan. Knowledge Organization and Distribution for Medical Diagnosis. IEEE Transaction on System Man, and Cybernetics, 1981

53 Sticklen T. Problem Solving Architectures at the Knowledge Level. Journal of Experimental and Theoretical Artificial Intelligence, 1989

54 Haley S. , K. G. Currans, etc. A Computer Aid for Decision-Making in Apple Pest Management. Acta Horticulture, 1990, 276: 27~34

55 Messing R. H and B. A. Croft. NERISK: An Expert System to Enhance the Integration of Pesticides with Arthropod Bidogical Control. Acta Horticulture, 1990, 276: 15~19

56 Plant R. E. , F. G. Salom, etc. Calex/peaches, An Expert System for the Diagnosis of Peach and Nectar Disorders. Hort Science, 1989, 24: 700

57 Janice E. Mcclure, Dennis D. Calvin, etc. Pest Management Choices: Integration Pesticide Toxicity Data with a Crop Management Expert System. Sixth International Conference on Computers in Agriculture. Cancun, Mexico, June, 1996

58 Heinemann P. H. , D. D. Calvin, etc. MAIZE: A Decision Support System Program for Management of Field Corn. Applied Eng. in Agriculture, 1991, 8 (3): 406~414

59 Victor H, Mireles-Vazqueq, Martin D. Mundo-Molina. Expert Systems in Crop Selection. Sixth International Conference on Computers in Agriculture. Cancun, Maxico, June, 1996

60 Jackson, Peter. Introduction to Expert System. 2nd Edition Wesley. Saint Louis, Missouri. USA, 1990

61 S. R. Marquoz-Berber. Computers and Agriculture, The Mexico Case. Sixth International Conference Computers in Agriculture. Cancun, Mexico, June, 1996

62 Dr. Don Richordson. From the Groundup: Lessons from Using Community Development Approach to Build the Wellington County. Free Space Community Networks in Qntario, Canada, Sixth International Conference on Computers in Agriculture. Cancun, Mexico, June, 1996

63 Malcolm T. Sanford. Teaching Beekeeping Using the World Wide Web: The Correspondence Course Revisited. Sixth International Conference on Computers in Agriculture. Cancun, Mexico, June, 1996

64　Norihiro Nakamara, Shankaviah Chamala. IT Use in Agriculture Study Between Japan and Australia. Sixth International Conference on Computers in Agriculture. Cancun, Mexico, June, 1996

65　K. U. Hill, G. S. Swanson. Utilization of the World Wide Web as an Extension Delivery Method. Sixth International Conference on Computers in Agriculture. Cancun, Mexico, June, 1996

66　W. M. Goncalves, A. L. Zambalde, etc. Microcomputers in farm Management: A Demonstrative Result Model Based on Spreadsheets. Sixth International Conference on Computers in Agriculture. Cancun, Mexico, June, 1996

67　Andre Luiz Zambalde, Lidia Micada Segre, etc. Computers on the Farm: Human Resources, Software Development, Software and Hardware Selection. Sixth International Conference on Computers in Agriculture. Cancun, Mexico, June, 1996

68　E. Vranken, D. Berckmans, V. Goedseels. New Possibilities for Bio-Environmental Control in Livestock Buildings. Sixth International Conference on Computers in Agriculture. Cancun, Mexico, June, 1996

69　J. P. Hansen, T. kristensen, etc. Computer Aided Advising on Organic Dairy Farms-Needs, Developmental and Experiences. Sixth International Conference on Computers in Agriculture. Cancun, Mexico, June, 1996

70　E. Vargas, J. J. Franco, S. Terrazas. Determination of Tomato Spectral Response Under Nutritional Condition Differents. Sixth International Conference on Computers in Agriculture. Cancun, Mexico, June, 1996

71　R. Mack. Strickland, Sandra Allen, etc. Environmental Assessment Case Studies Software. Sixth International Conference on Computers in Agriculture. Cancun, Mexico, June, 1996

72　吴鹤岭编译. 专家系统工具 clips 及其应用. 北京:北京理工大学出版社, 1991

73　李卫卫. 专家系统工具. 北京:气象出版社, 1987

74　糜莺英. 展望人工智能之———专家系统在水利工程施工中的应用. 武汉水利水电大学学报, 1989(4)

75　张立明. 人工神经网络的模型及其应用. 上海:复旦大学出版社, 1993

76 张际先.神经网络在农业工程的应用.农业工程学报,1995,11(1)

77 华根林.21世纪农业科技发展趋势.世界农业,1995(5)

78 上官周平.农业专家系统及其应用.农业现代化研究,1994(5)

79 周军.VP-Expert专家系统开发工具在节水灌溉土壤水分调控中应用.
农业工程学报,1992,8(4)

80 李远华.实时灌溉预报的方法及应用.水利学报,1994(2)

81 纪清岩.土石坝病害诊断专家系统.海河水利,1994(2)

82 雷吟天,黄兴文.农业专家系统在云南省的研制、开发和应用.模式识别
与人工智能,1999(12)

83 夏建刚,上官周平.智能化农业与西北地区农业可持续发展.模式识别与
人工智能,1999(12)

84 熊范纶,何茂彬,丁力.计算机专家咨询系统及其建立.信息与控制,1986
(1)

85 刘德铭主编.农业系统的预测与决策.济南:山东科学技术出版社,1988

86 陈克明等.济南市"决策支持系统".农业系统科学与综合研究,1991

87 党廷忠.专家系统在区域农业规划决策支持系统中的组织与应用.系统
工程,1991(6)

88 熊范纶著.农业专家系统及开发工具.北京:清华大学出版社,1999

89 科学技术部农业科技司主编.知识经济与国家知识基础设施.农业科技
攻关动态,1998(9)

90 莱斯特 R.布朗等著.科学技术部农村科技司译.中国的水资源短缺将动
摇世界的食物安全.农业科技攻关动态,1998(12)

91 杨芳乾."面临入世",我省农业的机遇和挑战.陕西日报,1999.12.1

92 魏勤劳,郭志伟,吴伟.高举邓小平理论伟大旗帜,迎接新的农业科技革
命——学习"十五大"精神,谈农业科技发展.农业科技攻关动态,1997
(14)

93 闫杰,苏竣.信息技术在农业知识扩散领域中的应用.模式识别与人工智
能,1999(12)

94 张世文,何吉成,齐永和.知识经济与农业知识工程.模式识别与人工智
能,1999(12)

95 蒋文兰,陈士辉.以信息技术开创甘肃现代农业文明新纪元.模式识别与

人工智能,1999,12(增刊)

96　汪志农,熊运章.适用半干旱灌区某次配水的优化模型.农田水利与小水电,1993(6)

97　熊运章,朱树人主编.灌溉管理手册.北京:水利电力出版社,1994

98　汪志农,熊运章.灌溉渠系配水优化模型的研究.西北农业大学学报,1993(2)

99　许志方.灌溉计划用水.北京:中国工业出版社,1963

100　汪志农,薛鼎武等.陕西关中灌区斗渠管理体制改革初析.西北农业大学学报,1999(27)

101　汪志农,熊运章等.适应市场经济的灌区管理体制改革与农业水价体系.中国农村水利水电,1999(1)

102　汪志农,熊运章.陕西省旱情决策子系统的研制与应用.干旱地区农业研究,1997(3)

103　陈亚新,康绍忠.非充分灌溉原理.北京:水利水电出版社,1995

104　李远华主编.节水灌溉理论与技术.武汉:武汉水利电力出版社,1999

105　刘肇仪,雷声隆主编.灌排工程新技术.武汉:中国地质大学出版社,1993

106　郭元裕主编.农田水利学(第三版).北京:水利电力出版社,1997

107　熊运章,宋松柏等.计算机在农业水土工程中的应用.北京:清华大学出版社,1999

108　陕西省革命委员会水电局编.灌溉用水.北京:水利电力出版社,1977

109　熊范纶,乔克智等.雄风专家系统开发工具.北京:清华大学出版社,1999

110　陈兆乾,潘金贵等编译.TURBO PROLOG 程序设计.南京:南京大学出版社,1989

111　许志方.21 世纪的节水农业展望.中国农村水利水电,1997(增刊)

112　沈荣开,张瑜芳等.节水灌溉实施策略与非充分灌溉研究有关问题的探讨.中国农村水利水电,1997(增刊)

113　张蔚榛.有关水资源合理利用和农田水利科学研究的几点意见.中国农村水利水电,1997(增刊)

114　顾斌杰.关于深化农田水利改革的思考.中国农村水利水电,1997(增

刊)

115 尹广武,王革等.我国农田水利经济实现两个根本性转变浅见.中国农村水利水电,1997(增刊)

116 贡小虎等.灌溉管理体制和经营体制改革若干问题的探讨.中国农村水利水电,1997(增刊)

117 康绍忠.新的农业科技革命与21世纪我国节水农业的发展.中国农村水利水电,1997(增刊)

118 康绍忠,李永杰.21世纪我国节水农业发展趋势及其对策.农业工程学报,1997(4)

119 梁宗锁,康绍忠等.控制性分根交替灌溉的节水效益.农业工程学报,1997(4)

120 贾大林.关于结合国情发展节水农业的建议.灌溉排水,1999(增刊)

121 康绍忠等.农业高效用水研究的未来战略与关键科学问题.灌溉排水,1999(增刊)

122 陈亚新等.高效节水灌溉的理论基础和研究进展.灌溉排水,1999(增刊)

123 张岁岐,山仑.我国北方地区实施节水农业中的几个问题.灌溉排水,1999(增刊)

124 康绍忠,张建华等.控制性交替灌溉———一种新的农田节水调控思路.干旱地区农业研究,1997(1)

125 上官周平,邵明安.西北节水农业专家系统及其知识工程.灌溉排水,1999(增刊)

126 上官周平等.黄土旱源小麦生产管理专家系统的设计与实现.水土保持学报,1995,8(4)

127 Mohan S and N. Arumugam. Expert System Application in Irrigation Management:An Overview. Computer & Electronics in Agriculture, 1997, 12(3)

128 门旗,李毅.新疆农作物灌溉决策系统应用研究.灌溉排水,1999(增刊)

129 雷声隆,高峰.管理节水潜力与途径浅探.灌溉排水,1999(增刊)

130 齐学斌等.北方地区农业水资源利用现状分析及今后的科研重点.灌溉排水,1999(增刊)

131 王广兴等.发挥农水技术的整体效益,实现节水增收.灌溉排水,1999(增刊)

132 康绍忠主编.西北地区农业节水与水资源持续利用.北京:中国农业出版社,1999

133 陕西省水利厅,西北农业大学主编.陕西省作物需水量及分区灌溉模式.北京:水利电力出版社,1992

134 谢安周编译.灌溉系统的随机控制.北京:农业出版社,1986

135 候孝国,汤究达.转轨中的所有制结构运行分析.北京:经济科学出版社,1997

136 袁守则.承包经营责任制.北京:中国经济出版社,1998

137 国家体改委生产体制司编.股份合作制操作指南.北京:同心出版社,1985

138 陕西省气象局.陕西省农业气候区划.西安:西安地图出版社,1988

139 西北大学地理系.陕西农业地理.西安:陕西人民出版社,1979

140 郭松岭.陕西省旱灾规律及旱作减灾对策.见:中国北方旱地农业综合发展与对策.北京:中国农业科技出版社,1992

141 信乃诠,赵聚宝主编.旱地农业水分状况与调控技术.北京:农业出版社,1992

142 邢大韦.关中西部四大灌区联合调度可行性研究.见:水资源大系统优化规划与优化调度经济汇编.北京:中国科学技术出版社,1995